QESFC
44911

D0230221
Q E SIXTH F
WITH-
DRAWN

centopaginemillelire

44

In copertina: Nicholas Stoecklin, PKZ, 1954

Titoli originali: *Šinel', Nos*

Prima edizione: febbraio 1993
Tascabili Economici Newton
Divisione della Newton Compton editori s.r.l.

Roma, Casella postale 6214

ISBN 88-7983-013-9

Stampato su carta Tambulky della cartiera Anjala
distribuita dalla Fennocarta s.r.l., Milano
Copertina stampata su cartoncino Perigord Mat della Papyro S.p.A.

Nikolaj V. Gogol'

Il cappotto
e
Il naso

Traduzione e cura di Luisa De Nardis

TEN

Tascabili Economici Newton

Introduzione

Nell'*Introduzione* al suo libro su Rabelais[1], Michail Bachtin cita la definizione di grottesco data da L. Pinskij: «Nel grottesco la vita passa attraverso tutti gli stadi, da quelli inferiori, inerti e primitivi, a quelli superiori più mobili e spiritualizzati, in una ghirlanda di forme disparate che testimonia la sua unità. Avvicinando ciò che è lontano, mettendo in relazione ciò che si esclude a vicenda, violando le nozioni abituali, il grottesco in arte è simile al paradosso in logica». E quale può essere una situazione più paradossale di quella in cui un tale veda andare a passeggio il proprio naso, e per di più in uniforme e cappello di piume?

Come sottolinea acutamente Vladimir Nabokov nel suo libro su Gogol', «il tema nasale è un *Leitmotiv* che s'incontra da un capo all'altro delle sue opere d'immaginazione, e difficilmente si troverà un autore che con altrettanto diletto descriva odori, starnuti e ronfi. [....] Si fiuta tabacco a iosa. La presentazione di Čičikov, in *Le anime morte*, avviene con l'accompagnamento dello straordinario squillo di tromba ch'egli emette quando usa il fazzoletto. Ci sono nasi che gocciano, nasi con tic nervosi, nasi trattati affettuosamente e rudemente; un ubriaco tenta di *segar via* il naso d'un altro; gli abitanti della luna (come scopre un pazzo) sono Nasi»[2].

Il naso venne pubblicato per la prima volta sulla rivista *Sovremennik* [Il Contemporaneo] nel 1836 con la seguente nota di Puškin: «N.V. Gogol' si è a lungo rifiutato di far pubblicare questo "divertimento", ma noi vi abbiamo trovato tanto di

[1] M. Bachtin, *L'opera di Rabelais e la cultura popolare*, Einaudi, Torino, 1979.
[2] V. Nabokov, *Nikolaj Gogol'*, Mondadori, Milano, 1972, p. 13.

inatteso, di fantastico, di allegro, di originale, che l'abbiamo persuaso a permetterci di condividere col pubblico il piacere che ci ha procurato il suo manoscritto»[3] *(in realtà, alcune riviste dell'epoca non avevano accettato di pubblicare il racconto giudicandolo troppo triviale). Gogol' aveva cominciato a lavorare al* Naso *all'inizio degli anni '30, cioè in un periodo in cui il tema dei nasi era molto in voga: lo svizzero di origine tedesca Heinrich Zschokke, per esempio, aveva scritto un* Elogio del naso, *che era apparso nel 1831 sulla rivista* Molva *[La fama corrente] e il cui tema era ancora una volta la perdita del naso. E naturalmente non si può non risalire fino al* Tristram Shandy *di Sterne, che sul motivo del naso e delle sue dimensioni costruisce innumerevoli pagine, laddove la fantastica inverosimiglianza avvicina* Il naso *ai soggetti fantastici di Hoffmann e dell'«hoffmannismo» russo del periodo a cavallo tra gli anni '20-'30; «ma nello stesso tempo sia il naso grottesco che aspira a una vita autonoma, sia i temi del naso Gogol' li trovava nei baracconi delle fiere, nel [...] Pulcinella russo, in Petruška»*[4].

Racconto spesso criticato e ritenuto un divertissement *poco riuscito (?) del suo autore,* Il naso *sembra narrare un episodio antitetico rispetto a quello del* Nevskij prospekt *in cui Schiller, «non quello Schiller che scrisse il* Guglielmo Tell *e* La storia della guerra dei Trent'anni, *ma il famoso Schiller, mastro zincaio della via Meščanskaja», vuole farsi tagliare il naso dall'amico Hoffmann, «non lo scrittore Hoffmann, ma il discreto calzolaio della via Oficerskaja», perché gli costa troppo in tabacco. La perdita del naso, poi, può essere interpretata anche, in modo alquanto ovvio, freudianamente come una perdita di virilità, una castrazione: Kovalëv si guarda continuamente allo specchio (così anche molti altri personaggi gogoliani) per «provare la sua "esistenza fallica", perché esiste in quanto ha il naso»*[5].

[3] *Sovremennik* [Il contemporaneo], 1836, t. III, p. 54.
[4] M. Bachtin, «Rabelais e Gogol'» in *Estetica e romanzo*, Einaudi, Torino, 1979, p. 486.
[5] E. Bazzarelli, «Introduzione» a *Il cappotto*, BUR, Milano, 1980, p. 26.

Inquietante nonsense, Il naso *sembra rientrare in quella categoria che Bachtin definisce* grottesco realistico *(riferendosi alla letteratura rinascimentale e a Rabelais in particolare, ma il paragone tra lo scrittore francese e Gogol' è dello stesso Bachtin, il quale ricorda che in Ucraina le tradizioni del realismo grottesco erano assai vive) in cui il corpo «non è separato dal resto del mondo, non è chiuso, né determinato, né dato, ma supera se stesso, esce dai propri limiti. L'accento è messo su quelle parti del corpo in cui esso è aperto al mondo esterno, in cui cioè il mondo penetra nel corpo o ne sporge, oppure in cui il corpo sporge sul mondo, quindi sugli orifizi, sulle protuberanze, su tutte le ramificazioni ed escrescenze: bocca spalancata, organi genitali, seno, fallo, grosso ventre, naso»*[6].

Nel 1828, terminati gli studi nel liceo di Nežin, Gogol' arriva a Pietroburgo. «... Veramente, dove si è andati a mettere la capitale russa – ai confini del mondo! È uno strano popolo il russo: la capitale era a Kiev – ci faceva troppo caldo, poco freddo; la capitale russa fu trasferita a Mosca – no, anche lì c'era poco freddo: dateci un po' Pietroburgo!»[7]*. Proprio il gelo pietroburghese, di una città livida ed ostile, è il motore dell'azione del racconto* Il cappotto, *considerato non a torto, insieme alla commedia* Il revisore *e alle* Anime morte, *il capolavoro di Gogol'.*

Nel suo articolo del 1894 «Come ha avuto origine il tipo di Akakij Akakievič»[8]*, Vasilij Rozanov cita il racconto di P. Annenkov secondo il quale «una volta fu raccontato in presenza di Gogol' [il fatto sarebbe accaduto nell'appartamento di Gogol' tra il 1833 e il 1836] l'aneddoto cancelleresco di un povero impiegato, grande appassionato di caccia, che, con straordinarie economie ed enormi e intense fatiche in aggiunta all'im-*

[6] M. Bachtin, *L'opera di Rabelais*, cit., p. 32.
[7] «Peterburgskie Zapiski 1836 goda» [Appunti pietroburghesi dell'anno 1836] in N. Gogol', *Polnoe Sobranie Sočinenij* [Opere Complete], Mosca, 1938, tomo VIII, p. 177.
[8] V. Rozanov, «Kak proisošël tip Akakija Akakieviča» [Come ha avuto origine il tipo di Akakij Akakievič] in *Mysli o literature* [Pensieri sulla letteratura], Mosca, 1989.

piego, aveva accumulato la somma necessaria per comprare un buon fucile Lepage da 200 rubli. La prima volta in cui, sulla sua barchetta, si era avventurato per il golfo finnico – a caccia, poggiato il prezioso fucile accanto a sé a prua, fu preso, per sua stessa ammissione, da un improvviso stordimento e rinvenne solo quando, dopo aver guardato a prua, non vide il suo nuovo acquisto. Il fucile era stato trascinato nell'acqua da un fitto canneto attraverso il quale egli era passato, e tutti gli sforzi per trovarlo furono vani. L'impiegato tornò a casa, si mise a letto e non si alzò più: aveva un gran febbrone. Solo una colletta dei suoi colleghi, che erano venuti a conoscenza dell'accaduto e gli avevano comprato un fucile nuovo, lo riportò in vita, ma egli non poté mai rammentare il terribile caso senza che si manifestasse sul suo volto un mortale pallore. [...] Tutti risero dell'aneddoto, fondato su un fatto veramente accaduto, salvo Gogol', che lo ascoltò pensieroso e abbassò la testa. L'aneddoto fu la prima idea del suo strano racconto Il cappotto, e questo nacque nel suo animo quella stessa sera». Naturalmente, nonostante il fascino che può avere l'episodio riportato da Annenkov, non si può limitare a questo l'ispirazione di Gogol', soprattutto se si tiene conto del fatto che egli conosceva anche troppo bene l'ambiente descritto nel racconto, poiché lui stesso aveva lavorato in due diversi dipartimenti, percependo uno stipendio di meno di 500 rubli l'anno, come il suo protagonista Akakij Akakievič. In una lettera del 1830 alla madre, Gogol' si lamenta appunto delle proprie finanze: con tutti gli sforzi possibili, rinunciando anche al suo più grande svago, il teatro, non riesce a spendere meno di 100 rubli al mese, e non gli rimangono soldi nemmeno per comprarsi un frac nuovo o un cappotto caldo indispensabile per l'inverno (ricordiamo qui che nella prima versione de Il cappotto, anche Akakij Akakievič indossa un frac).

Attraverso i manoscritti ritrovati da N. Tichonravov al Museo Pubblico di Mosca, si possono seguire le successive fasi del lavoro di Gogol' sul racconto. Sappiamo che lo scrittore lavorò al Cappotto in quattro riprese: nella prima versione non appare nemmeno il nome di Akakij Akakievič, ma viene *caratterizzato il personaggio che nelle versioni ulteriori troverà la sua identità. Questo primo abbozzo, intitolato* Storia di un impiegato che rubava cappotti *(e questo titolo indica che la svolta fantastica era nella mente di Gogol' fin dall'inizio) sarebbe stato scritto in gran parte, secondo Tichonravov, dalla mano di Pogodin, probabilmente sotto dettatura. Come ha dimostrato Tichonravov questa dettatura poteva aver avuto luogo solo nel 1839 a Marienbad, dove i due erano stati un mese (dall'8 luglio all'8 agosto). Trasferitosi da Marienbad a Vienna, tra agosto e settembre Gogol' continuò il racconto, riscrivendo l'inizio ampliato con un nuovo episodio, quello della nascita del protagonista: Akakij Akakievič Tiškevič, cognome che rimanda all'avverbio* tiškom = piano, senza far rumore, senza farsi notare, *poi cambiato in Bašmačkin nella versione definitiva. La terza redazione è del novembre-dicembre 1839 a Pietroburgo. Il racconto fu terminato già a Roma entro la fine di aprile 1841.*

I critici contemporanei di Gogol' non prestarono molta attenzione al Cappotto, *se si eccettua Vissarion Belinskij, che, pur fraintendendone le intenzioni e spacciandolo per racconto realistico e a sfondo umanitario, lo esalta. In effetti siamo qui di fronte ad un altro esempio di grottesco, seppure diverso da quello che abbiamo identificato ne* Il naso. *Vale la pena di citare il famosissimo saggio di Boris Ejchembaum «Come è fatto "Il cappotto" di Gogol'»: «Lo stile del grottesco esige, in primo luogo, che la situazione o il fatto da descrivere sia racchiuso in un mondo fantasticamente piccolo di emozioni artificiali, sia completamente separato dalla grande realtà, dall'autentica pienezza della vita spirituale, e in secondo luogo, che questo sia fatto non con fine didattico, né satirico, ma col fine di dar libero corso al* giuoco con la realtà, *alla scomposizione e libera trasposizione dei suoi elementi, dimodoché i consueti rapporti e legami (psicologici e logici) in questo mondo costruito* ex novo *risultino irreali, e ogni inezia possa crescere a proporzioni colossali. Solamente sullo sfondo d'uno stile simile il minimo barlume d'un autentico sentimento assume l'aspetto di qualcosa di sconvolgente. Nell'aneddoto sull'im-*

piegato Gogol' apprezzava proprio quest'insieme fantasticamente limitato e chiuso di pensieri, sentimenti e desideri, nel cui ristretto ambito l'artista è libero d'ingrandire i dettagli e violare le proporzioni consuete del mondo. Su questo fondamento è fatto il disegno del Cappotto. *Qui non si tratta affatto della "nullità" di Akakij Akakievič e della confessione di "umanità" verso il piccolo fratello, ma del fatto che, isolata l'intera sfera del racconto dalla grande realtà, Gogol' può congiungere l'incongiungibile, ingrandire ciò che è piccolo e abbreviare ciò che è grande, in una parola, può giocare con tutte le norme e le leggi della vita morale reale»*[9]. *Non più il grottesco basato sul principio del riso, al quale viene attribuito un compito rigeneratore, ma ormai un grottesco romantico il cui mondo è «spaventoso ed* estraneo *all'uomo. Tutto ciò che è comune, banale, abituale, riconosciuto da tutti, diventa improvvisamente insensato, ambiguo, estraneo e ostile all'uomo. Il suo mondo si trasforma improvvisamente in un mondo* estraneo. *Ciò che è comune e tranquillo si trasforma improvvisamente in terribile»*[10]. *E questo genere di grottesco si attaglia magnificamente alla società nicolaita in cui ciascuno si identifica col proprio grado (ne* Il naso, *esso non vuole tornare da Kovalëv anche perché ritiene che quello sia di un grado molto più basso del suo) ed esiste in quanto ha un certo rango, poiché al di fuori di quello il suo essere non ha alcun senso. Come sottolinea il Bazzarelli*[11], *Akakij Akakievič, all'inizio del racconto, è una persona la cui esistenza reale non è accettata da nessuno in quanto priva di qualsiasi segno di* potere *(all'interno delle 14 classi della Tabella dei ranghi di dignità, introdotta nel 1722 da Pietro I, egli occupa il nono grado, mentre il maggiore del* Naso *è un gradino più in alto, all'ottavo), una persona che diventa individuo attivo solo nel momento in cui gli appare quell'«ospite luminoso sotto forma di cappotto», che rianima «per un attimo una povera vita».*

[9] B. Ejchembaum, «Come è fatto "Il cappotto" di Gogol'» in *I formalisti russi*, Einaudi, Torino, 1968, p. 269.
[10] M. Bachtin, *L'opera di Rabelais*, cit., p. 46.
[11] E. Bazzarelli, cit.

Tra Akakij Akakievič e il cappotto (in russo la parola è di genere femminile; la parola kapot, vestaglia, *invece, è di genere maschile) si instaura un vero e proprio rapporto amoroso (Belyj osservava che nelle* Anime morte *la cassetta da viaggio era la moglie di Čičikov) che riporta in vita un essere fino ad allora non-esistente. E come il protagonista del racconto* Nevskij prospekt, *Piskarëv, muore al pensiero che la donna amata sia una prostituta, Akakij Akakievič muore una volta separato dall'oggetto amoroso; e in questo senso si può interpretare romanticamente la sua apparizione sotto forma di fantasma come una strana caricatura dell'amante risorto (Čiževskij).*

«La principale e costante caratteristica dello stile gogoliano è la sua espressività verbale»[12]*, frutto di lungo e paziente lavoro che si succede in riprese diverse. Nell'articolo «La composizione del "Cappotto" di Gogol'»*[13]*, Čiževskij riporta un discorso fatto dallo stesso Gogol' a N. Berg: «Inizialmente devi buttare giù tutto come viene, senza preoccuparti se questo tutto sia povero o diluito; limitati a buttare giù tutto e poi dimentica l'intera cosa. Dopo un mese o due, a volte più a lungo (succederà quando il momento è giusto), tira fuori il testo e leggilo da cima a fondo. Allora vedrai che qualcosa non va bene, molto è superfluo e qualcosa manca. Fai le correzioni e le note a margine e metti di nuovo via il manoscritto. Poi, alla lettura successiva, fai altre note a margine, e se non c'è spazio abbastanza, attacca al margine un pezzo di carta. Poi, se non è rimasto spazio, prendi il testo e copialo di tuo pugno. [...] Ciò si dovrebbe ripetere otto volte, secondo me. [...] Ulteriori revisioni e letture possono rovinare il tutto; un artista lo chiama esagerazione. Naturalmente queste regole non possono sempre essere osservate; è difficile. Io mi riferisco ad un caso ideale». Non può perciò essere ritenuto un caso l'uso abnorme (sottolineato anche da Nabokov) nel* Cappotto *della parola*

[12] D.S. Mirskij, *Storia della letteratura russa*, Garzanti, Milano, 1965, p. 164.
[13] D. Čiževskij, «The composition of Gogol's "Overcoat"» in *Gogol's "Overcoat": An Anthology of Critical Essays,* Ardis, Ann Arbor, Michigan, 1982, p. 37.

perfino *(daže), che Čiževskij conta ben 73 volte lungo tutto il racconto. Se Gogol' intravede l'essenza del grottesco nella giustapposizione di senso e* nonsense, *allora l'uso smodato di* perfino *serve ad accentuare questo procedimento per sbalordire il lettore una volta di più. Per altro verso, nel parziale tentativo di Gogol' di mostrarci il mondo filtrato attraverso gli occhi di Akakij Akakievič, l'introduzione in punti chiave di* perfino, *accentua la posizione di sudditanza e sottomissione rispetto a tutto ciò che lo circonda.*

LUISA DE NARDIS

Cronologia della vita e delle opere

1809: Nikolaj V. Gogol' nasce il 20 marzo a Soročincy, nel distretto di Mirgorod, governatorato di Poltava (Ucraina) da Vasilij Afanas'evič e Marija Ivanovna Kosjarovskaja.
1821-1828: frequenta il liceo di Nežin.
1828: si trasferisce a Pietroburgo.
1829: pubblica a sue spese l'idillio in versi *Ganc Kjuchel'garten* (Hans Küchelgarten) con lo pseudonimo di V. Alov. Dopo la stroncatura da parte della critica, compra tutte le copie nelle librerie di Pietroburgo e le brucia.
Decide di partire per l'estero.
1829-1831: rientrato a Pietroburgo lavora come impiegato nel dipartimento dell'Economia statale e degli immobili pubblici, e in seguito in quello dei Beni patrimoniali.
1830: conosce Del'vig, Pletnëv, Žukovskij. Viene pubblicato il racconto *Basavrjuk, o la sera della vigilia di Ivan Kupalo* sulla rivista *Otečestvennye zapiski* [Quaderni patriottici].
1831: Conosce Puškin.
Esce il primo volume delle *Veglie alla fattoria presso Dikan'ka*, che comprende i racconti *La fiera di Soročinec*, *La sera della vigilia di Ivan Kupalo*, *Notte di maggio, ovvero l'annegata* e *La lettera perduta*.
Abbandona la pubblica amministrazione e, grazie a Pletnëv, è nominato professore di storia in un istituto per signorine.
1832: esce il secondo volume delle *Veglie alla fattoria presso Dikan'ka*, che comprende i racconti *La notte prima di Natale*, *La tremenda vendetta*, *Ivan Fëdorovič Spon'ka e sua zia*, *Il luogo stregato*.
1834-1835: aiutato da amici letterati ottiene il posto di assistente presso la cattedra di Storia universale all'Università di Pietroburgo, ma non ha successo e si dimette.
1835: escono le raccolte di racconti *Mirgorod* (*Proprietari di vecchio stampo*, *Taras Bul'ba*, *Il Vij* e *Come litigarono Ivan Ivanovič e Ivan Nikiforovič*) e *Arabeschi* (*Il ritratto*, *Il Nevskij prospekt*, *Diario di un pazzo*). Lavora alle commedie *Il matrimonio* e *Il revisore* e inizia il poema *Le anime morte*, su uno spunto di Puškin.
1836: collabora alla rivista puškiniana *Sovremennik* [Il contemporaneo] dove, il 9 ottobre, appare anche il racconto *Il naso*.

Il 19 aprile ha luogo, al teatro Alessandrino di Pietroburgo, la prima de *Il revisore*, feroce satira sulla burocrazia dell'epoca di Nicola I che scatenerà numerose polemiche.
Iniziano le sue peregrinazioni per l'Europa.
1836-1839: vive prima a Parigi e poi a Roma dove conosce il Belli di cui sarà grande ammiratore.
Lavora a *Le anime morte*.
1839-1840: è in Russia. Durante una breve visita a Vienna è colto da un attacco nervoso che quasi lo uccide.
1840-1841: nuovo soggiorno a Roma.
1842: rientra in Russia; esce il primo volume de *Le anime morte*, che Gogol', ormai in preda a manie religiose e all'inseguimento dell'autopurificazione, considera una sorta di nuova *Divina Commedia*.
Il 9 dicembre ha luogo la prima della commedia *Il matrimonio*.
1842-1848: vive all'estero.
1843: esce per la prima volta il racconto *Il cappotto*, nel terzo volume delle *Opere*.
1847: pubblica i *Passi scelti dalla corrispondenza con gli amici*, che suscitano scalpore: ritenuto erroneamente un progressista, vi si rivela, invece, per un sostenitore dell'autocrazia.
1848: viaggio in Palestina.
1848-1852: rientra in Russia; vive a Pietroburgo, Mosca, Odessa, di nuovo Mosca.
1852: finisce il secondo volume de *Le anime morte*, ma poi brucia il manoscritto, di cui restano solo 6 capitoli in brutta copia.
Muore la mattina del 21 febbraio, poco prima delle otto, stroncato da un deperimento fisico e mentale estremo. Il funerale si svolge nella cappella dell'Università di Mosca. Viene sepolto nel monastero di S. Danilo. Nel 1909, nel centenario della nascita, i suoi resti vengono trasferiti nel cimitero del monastero di Novodeviči.

Traduzioni de *Il cappotto e Il naso*

Novelle (trad. Domenico Ciampoli), Istituto Ed. Italiano, Milano 1916
Il mantello (trad. Giuseppe Loschi), *Rassegna nazionale*, Firenze, 1918
Novelle e racconti (traduttore non indicato), Sonzogno, Milano, 1919
Il cappotto (trad. Clemente Rebora), Il convegno editoriale, Milano, 1922
Taras Bulba. Il cappotto (trad. Giuseppe Bergamino), ABC, Torino, 1932
Tarass Bulba. Il pastrano (trad. Enrichetta Carafa d'Andria), UTET, Torino, 1937
Racconti di Pietroburgo (trad. Tommaso Landolfi), Rizzoli, Milano, 1941
Opere (trad. Natalia Bavastro), A. Corticelli, Milano, 1944
Il cappotto (tràd. Oreste Del Buono), Universale Economica, Milano, 1949
Tutti i racconti (trad. Leone Pacini Savoj), Gherardo Casini Editore, Firenze, 1957
Il cappotto ed altri racconti (trad. Piero Cazzola), G.B. Paravia, Torino, 1958
Taras Bulba. I racconti di Pietroburgo (trad. Gianlorenzo Pacini), Ediz. per il Club del Libro, Milano, 1963
Il cappotto. Il naso (trad. A. Julovič), Sansoni, Firenze, 1964
I racconti di Pietroburgo (trad. Pietro Zveteremich), Garzanti, Milano, 1967
I racconti di Pietroburgo (trad. Giuliana Raspi), Fabbri, Milano, 1968
Il cappotto e altri racconti (trad. Renato Abbate), Istit. editoriale del mezzogiorno, Napoli, 1970
Il cappotto (trad. Nerina Martini Bernardi), Editiones Officinae Bodoni, Verona, 1975
Il cappotto (trad. Eridano Bazzarelli), Biblioteca Universale Rizzoli, Milano, 1980
Taras Bul'ba e altri racconti (trad. Anjuta Gančikov Chapperon), UTET, Torino, 1981
I racconti di Pietroburgo (trad. Francesco Mariano), Classici Mondadori, Milano, 1986
La mantella (trad. Nicoletta Marcialis), Salerno Editrice, Roma, 1991

RIEDIZIONI IN COMMERCIO

Il cappotto. I racconti degli Arabeschi (Pacini Savoj), Casa del libro, La Spezia, 1989
Il naso. Il ritratto (Landolfi), Biblioteca Universale Rizzoli, Milano, 1989
I racconti di Pietroburgo (Landolfi), Biblioteca Universale Rizzoli, Milano, 1989
Taras Bul'ba e altri racconti (E. Carafa d'Andria e A. Gančikov Chapperon), TEA, Milano, 1990
Il cappotto (Rebora), SE, Milano, 1990
I racconti di Pietroburgo (Landolfi), Biblioteca Universale Rizzoli Superclassici, Milano, 1991
Il cappotto (Rebora), Universale Economica Feltrinelli, Milano, 1992.

NB: Il testo seguito per la traduzione de *Il cappotto* e *Il naso* è quello critico, che reintegra i passi eliminati o corretti dalla censura zarista, contenuto in *Polnoe Sobranie Sočinenij* [Opere Complete], Mosca, 1938, t. III.

L.D.N.

IL CAPPOTTO

Nel dipartimento di... ma è meglio non specificare in quale dipartimento. Non c'è niente di più irritabile di ogni sorta di dipartimenti, reggimenti, cancellerie e, in una parola, di ogni sorta di ordine burocratico. Ora, ormai, ogni privato cittadino ritiene che nella sua persona venga offesa tutta la società. Dicono che non da molto sia pervenuta la supplica di un capitano-*ispravnik*[1], non ricordo di quale città, nella quale egli espone chiaramente che le istituzioni statali vanno in rovina e che il loro sacro nome viene pronunciato decisamente a vanvera. E, come prova, ha allegato alla supplica un enorme tomo di una qualche opera romantica in cui, ogni dieci pagine, compare un capitano-*ispravnik*, in alcuni punti perfino in completo stato di ubriachezza. Sicché, per evitare qualunque spiacevolezza, è meglio chiamare il dipartimento di cui si tratta *un dipartimento*. Sicché, in *un dipartimento* prestava servizio *un impiegato*; non si può dire fosse un impiegato molto importante, di bassa statura, un po' butterato, un po' rossiccio, perfino un po' corto di vista all'apparenza, con una piccola calvizie sulla fronte, con delle rughe da ambedue i lati delle guance e quel colore di viso che si dice emorroidale... Che farci! la colpa è del clima pietroburghese. Per quanto riguarda il grado (poiché da noi prima di tutto si deve dichiarare il grado), egli era quel che si definisce un eterno consigliere titolare, del quale, come è noto, si sono presi gioco e sul quale hanno fatto dello spirito a sazietà i vari scrittori

[1] Capo della polizia di distretto (*N.d.T.*).

che hanno la lodevole abitudine di prendersela con coloro che non possono mordere. Il cognome dell'impiegato era Bašmačkin. E già dal nome si vede che esso, in tempi remoti, aveva avuto origine da una *scarpa*[2]; ma quando, in quale epoca e in quale modo avesse avuto origine da una scarpa, è del tutto ignoto. Sia il padre, sia il nonno, sia perfino il cognato e assolutamente tutti i Bašmačkin hanno sempre portato gli stivali, limitandosi a cambiare all'incirca tre volte l'anno le suole. Il suo nome era Akakij Akakievič[3]. Forse al lettore sembrerà un po' strano e ricercato, ma è possibile assicurare che non l'avevano affatto cercato, e che si erano prodotte spontaneamente tali circostanze per le quali non era stato possibile in nessun modo dargli un altro nome, e la cosa era avvenuta precisamente così. Akakij Akakievič nacque, se solo la memoria non mi tradisce, sul far della notte di un 23 marzo. La defunta madre, moglie di impiegato e donna molto buona, si dispose, come è d'uso, a battezzare il bambino. La madre era ancora nel letto di fronte alla porta, mentre alla sua destra stava in piedi il padrino, persona eccellente, Ivan Ivanovič Eroškin, che prestava servizio al senato come capo-sezione, e la madrina, moglie dell'ufficiale di quartiere, donna di rare virtù, Arina Semënovna Belobrjuškova. Alla puerpera proposero di scegliere uno di questi tre nomi: Mokkija, Sossija o di chiamare il bambino col nome del martire Chozdazat. «No», pensò la defunta, «che razza di nomi.» Per compiacerla, spiegarono il calendario in un altro punto; uscirono nuovamente tre nomi: Trifilij, Dula e Varachasij. «Ma è un castigo», disse la vecchietta, «che razza di nomi; io davvero non ne ho neanche mai sentiti di simili. Fosse ancora Varadat o Varuch, ma Trifilij e Varachasij.» Voltarono ancora pagina – uscirono: Pavsikachij e Vachtisij. «Be', vedo già», disse la vecchietta, «che evidentemente ha questo destino. Se è

[2] Perché *bašmak* in russo vuol dire appunto scarpa (*N.d.T.*).
[3] Il nome Akakij deriva chiaramente dal greco ἄ -κακος, e cioè innocente, ignaro del male (*N.d.T.)*.

così, meglio che si chiami come suo padre. Il padre era Akakij, che anche il figlio sia Akakij.» In tal modo ebbe origine Akakij Akakievič. Battezzarono il bambino; durante il rito si mise a piangere e fece una smorfia tale come se presentisse che sarebbe diventato un consigliere titolare. E così, ecco in che modo ebbe origine tutto ciò. Noi per questo l'abbiamo riportato, perché il lettore possa vedere da solo che ciò era avvenuto assolutamente per necessità e non era stato in nessun modo possibile dare un altro nome. Quando e in quale epoca fosse entrato nel dipartimento e chi lo avesse assunto, nessuno lo poteva ricordare. Per quanti direttori e superiori di ogni genere cambiassero, lo si vedeva sempre allo stesso identico posto, nella stessa posizione, nello stesso ufficio, lo stesso impiegato di scrittura, cosicché in seguito si convinsero che egli, evidentemente, era venuto al mondo proprio così, già bello pronto, con la divisa e la calvizie sulla testa. Nel dipartimento non gli portavano alcun rispetto. I custodi non solo non si alzavano dal posto quando lui passava, ma non lo guardavano nemmeno, come se attraverso l'anticamera fosse passata in volo una semplice mosca. I superiori si comportavano con lui in un certo modo freddamente dispotico. Un qualunque vice capo-sezione gli ficcava dritto sotto il naso delle carte, senza dire nemmeno: «copiate», oppure: «ecco un bel lavoretto interessante», o qualcosa di piacevole, come si usa negli uffici beneducati. E lui prendeva la carta, guardando solo quella, senza vedere chi gliela porgeva e se ne avesse il diritto. La prendeva e si metteva subito a copiarla. I giovani impiegati lo deridevano e facevano dello spirito su di lui, per quanto consentiva lo spirito cancelleresco, raccontavano direttamente davanti a lui svariate storielle inventate sul suo conto; sul conto della sua padrona di casa, una vecchietta di settant'anni, dicevano che lei lo picchiava, chiedevano quando si sarebbero sposati, gli rovesciavano sulla testa dei pezzetti di carta chiamandola neve. Ma Akakij Akakievič non rispondeva nemmeno una parola a ciò, come se nemmeno ci fosse qualcuno davanti a lui;

questo non aveva neanche influenza sul suo lavoro: tra tutte quelle angherie non faceva un solo errore nello scrivere. Soltanto se lo scherzo diventava davvero insopportabile, quando lo urtavano sotto il braccio, impedendogli di fare il suo lavoro, diceva: «Lasciatemi in pace, perché mi offendete?». E qualcosa di strano era contenuto nelle parole e nella voce con la quale venivano pronunciate. In essa si sentiva qualcosa che ispirava una tale pietà, che un giovanotto da poco entrato in servizio il quale, sull'esempio degli altri, si era permesso di deriderlo, all'improvviso si fermò, come trafitto, e da allora fu come se tutto fosse cambiato per lui e si mostrasse sotto un altro aspetto. Una qualche forza straordinaria lo allontanò dai compagni con i quali aveva fatto conoscenza ritenendoli persone ammodo, di mondo. E in seguito, per molto tempo, nei momenti più allegri, gli si presentava alla mente il piccolo impiegato con la calvizie sulla fronte, con le sue penetranti parole: «Lasciatemi in pace, perché mi offendete?» – e in quelle penetranti parole risuonavano altre parole: «Io sono un tuo fratello». E il povero giovanotto si copriva il viso con la mano, e molte volte in seguito trasalì nella sua vita, vedendo quanta disumanità ci sia nell'uomo, quanta feroce rozzezza si nasconda nella mondanità raffinata e colta, e, Dio! perfino in quell'uomo che il mondo reputa nobile e onesto.

Sarebbe stato difficile trovare da qualche parte una persona che vivesse così il suo lavoro. È poco dire: prestava servizio con zelo, no, prestava servizio con amore. Là, in quel copiare, gli pareva di vedere un suo mondo vario e piacevole. Il piacere si esprimeva sul suo viso; alcune lettere erano le sue favorite, e se vi s'imbatteva, allora era fuori di sé: e ridacchiava, e ammiccava, e si aiutava con le labbra, cosicché sembrava si potesse leggere sul suo viso ogni lettera che tracciava la sua penna con cura. Se gli avessero dato delle ricompense proporzionatamente al suo zelo, egli, con suo stesso stupore, forse, sarebbe perfino finito consigliere di Stato; ma aveva ottenuto per il suo lavoro, come si esprimevano quegli arguti dei suoi compagni, una fibbia all'occhiello, e si era guadagnato le emorroidi ai lombi. Del resto, non si può dire che non ricevesse nessuna attenzione. Un direttore, una brava persona, desiderando ricompensarlo per il lungo servizio, ordinò di dargli qualcosa di più importante della solita copiatura; e precisamente gli fu ordinato di fare una relazione di un lavoro già pronto per un altro ufficio pubblico; il lavoro consisteva solo nel cambiare l'intestazione e nel cambiare qua e là i verbi dalla prima alla terza persona. Ciò gli diede un tale da fare, che fece un bagno di sudore, si asciugò la fronte e alla fine disse: «No, è meglio se mi date qualcosa da copiare». Da quel momento lo avevano lasciato per sempre a copiare. A parte questo copiare, sembrava non esistesse niente per lui. Non si occupava affatto del proprio abbigliamento: aveva una divisa che non era verde, ma di un colore rossiccio-farinoso. Il collettino era striminzito, bassino, cosicché il suo collo, nonostante il fatto che non fosse lungo, uscendo dal colletto, sembrava insolitamente lungo, come quello di quei gattini di gesso con la testa oscillante, che portano a intere decine sulla testa gli «stranieri» russi. E c'era sempre qualcosa che si appiccicava alla sua divisa: o un pezzettino di fieno, o qualche filetto; inoltre egli aveva la particolare abilità, camminando per la strada, di arrivare sotto una finestra proprio nel momento in cui ne gettavano fuori porcherie di ogni tipo, e perciò portava eternamente sul cappello scorze di anguria e melone e altre sciocchezze del genere. Nemmeno una volta nella vita aveva prestato attenzione a ciò che accadeva e succedeva ogni giorno per la strada, cosa che invece, come è noto, guarda sempre un suo fratello, un giovane impiegato che estende a tale punto la perspicacia del proprio sguardo svelto, da notare perfino a chi, dall'altro lato del marciapiede, si è scucita ed è scesa la staffa dei pantaloni – cosa che suscita sempre un sorrisetto malizioso sul suo viso.

Ma Akakij Akakievič, anche se guardava qualcosa, vedeva in tutto le sue righe pulite, scritte con calligrafia regolare, e forse solo se il muso di un cavallo, sbucato da chissà dove, gli si metteva su una spalla e gli soffiava dalle narici un'intera ventata sulla guancia, solo allora egli notava di non essere nel mezzo di una riga, ma piuttosto nel mezzo della strada. Arrivando a casa, si sedeva subito a tavola, trangugiava alla svelta la sua minestra di cavoli e mangiava un pezzo di carne di manzo con la cipolla, non notandone affatto il sapore; mangiava tutto questo con le mosche e con tutto ciò che Dio gli mandava in quel momento. Quando si accorgeva che lo stomaco iniziava a gonfiarsi, si alzava da tavola, tirava fuori una boccetta di inchiostro e copiava le carte che si era portato a casa. Se invece capitava che non ne avesse, ne faceva apposta una copia per sé, per suo piacere personale, in particolare se la carta era notevole non per la bellezza dello stile, ma per essere indirizzata a un qualche personaggio nuovo o importante.

Perfino in quelle ore in cui il grigio cielo pietroburghese si spegne completamente e tutto il popolo impiegatizio si è rimpinzato e ha finito di pranzare, ognuno come ha potuto, conformemente allo stipendio ricevuto e al personale ghiribizzo – quando tutto ormai si riposa dopo lo scricchiolìo dipartimentale delle penne, dopo l'affaccendarsi, dopo le proprie e le altrui necessarie occupazioni e dopo tutto ciò che una persona instancabile si assegna volontariamente, persino oltre il necessario –, quando gli impiegati si affrettano a dedicare al piacere il rimanente tempo: chi, più coraggioso, corre a teatro; chi in strada, impiegandolo nell'osservazione di certi cappellini; chi, a una serata, lo perde in complimenti a una bella ragazza, stella di una ristretta cerchia impiegatizia; chi, e questo avviene più spesso di tutto, se ne va semplicemente da un suo fratello al quarto o al terzo piano, in due camerette con anticamera o cucina e certe pretese di essere alla moda, come una lampada o un'altra cosetta, costata molti sacrifici, rinunce a pranzi, a divertimenti; in una parola, perfino nel momento in cui tutti gli impiegati si disperdono per i minuscoli appartamentini degli amici a giocare un tempestoso *whist*, sorbendo il tè dai bicchieri con biscotti da una copeca, tirando il fumo da lunghi bocchini, raccontando nel momento della smazzata un qualche pettegolezzo, proveniente dall'alta società, cosa dalla quale non può astenersi in nessuna situazione un russo, o perfino, quando non c'è di che parlare, riraccontando l'eterna barzelletta del comandante al quale erano venuti a dire che la coda del cavallo del monumento di Falconet[4] era stata mozzata – in una parola, perfino quando non si cerca altro che svagarsi –, Akakij Akakievič non si abbandonava a nessuno svago. Nessuno poteva dire di averlo visto una volta a una qualche serata. Dopo aver scritto a sazietà, si metteva a letto, sorridendo in anticipo al pensiero dell'indomani: Dio gli avrebbe inviato qualcosa da copiare domani. Così scorreva la vita tranquilla di un uomo che con quattrocento rubli di stipendio sapeva essere contento della propria sorte, e avrebbe continuato a scorrere così, forse fino all'estrema vecchiaia, se non fossero sopraggiunte diverse sventure, sparse sulla strada della vita non solo dei consiglieri titolari, ma perfino di quelli segreti, effettivi, di corte e di ogni tipo, perfino di quelli che non danno consigli a nessuno, e loro stessi non ne prendono da nessuno.

Esiste a Pietroburgo un acerrimo nemico di tutti coloro che prendono quattrocento rubli all'anno di stipendio, o su per giù. Questo nemico altri non è se non il nostro gelo nordico, sebbene, del resto, dicano anche sia molto salutare. Passate le otto del mattino, proprio nell'ora in cui le strade si coprono di gente che va al dipartimento, inizia a dare dei buffetti tanto forti e pungenti indiscriminatamente su tutti i nasi, che i poveri impiegati non sanno decisamente dove ficcarli. Nel momento in cui perfino a quelli che occupano le cariche più alte duole la fronte per il gelo, e agli occhi compaiono le lacrime, i poveri consiglieri titolari sono a volte indifesi. L'intera salvezza consiste nell'attraversare di corsa il più velocemente possibile, nel misero

[4] Il monumento dello scultore francese Falconet (1716-1791), cui fu commissionato da Caterina, è dedicato a Pietro il Grande, fondatore della città di Pietroburgo (*N.d.T.*).

cappottino, cinque-sei strade e poi riscaldarsi per bene i piedi in portineria, finché in tal modo non si scongelino tutte le capacità e le doti per le mansioni d'ufficio gelatesi per la strada. Akakij Akakievič, da qualche tempo, aveva iniziato a percepire che il dolore alla schiena e alle spalle si era fatto in qualche modo particolarmente pungente, nonostante cercasse di attraversare di corsa il più velocemente possibile lo spazio dovuto. Si chiese, alla fine, se non dipendesse da qualche difetto del suo cappotto. Esaminatolo per bene, a casa sua, scoprì che in due-tre punti, precisamente sulla schiena e sulle spalle, si era fatto proprio un velo: il panno era talmente logoro che traspariva, e la fodera era ridotta in brandelli. È necessario sapere che anche il cappotto di Akakij Akakievič costituiva oggetto di scherno da parte degli impiegati; gli avevano perfino tolto il nobile nome di cappotto e lo chiamavano *vestaglia*. In effetti esso aveva una strana struttura: il colletto si riduceva ogni anno di più, poiché serviva a rattoppare altre sue parti. Il rattoppo non evidenziava l'arte del sarto e risultava davvero cadente e poco bello. Visto di cosa si trattava, Akakij Akakievič decise che bisognava portare il cappotto da Petrovič, il sarto, domiciliato in un non meglio identificato quarto piano su per una scala di servizio, che, nonostante il suo occhio guercio e il viso completamente butterato, si occupava con alquanto successo della rammendatura di pantaloni e frac di impiegati e di ogni altro tipo di persone - si capisce, quando era in stato di sobrietà e non cullava sogni di qualche altra impresa. Di questo sarto, in definitiva, non varrebbe la pena di parlare a lungo, ma giacché è stato ormai stabilito che in un racconto il carattere di ogni personaggio sia completamente delineato, allora non c'è niente da fare, dateci qua anche Petrovič. Inizialmente si chiamava semplicemente Grigorij ed era servo della gleba presso qualche signore; aveva iniziato a chiamarsi Petrovič da quando aveva ottenuto il certificato di riscatto e si era messo a sbevazzare piuttosto forte ad ogni festa, inizialmente in quelle più importanti, ma poi, senza distinzione, in tutte quelle della chiesa dove solo ci fosse una crocetta sul calendario. Da questo lato, egli era fedele alle usanze avite e, bisticciando con la moglie, la chiamava miscredente e tedesca. Giacché abbiamo già menzionato la moglie, allora sarà necessario dire un paio di parole anche su di lei; ma, purtroppo, di lei non molto era noto, tranne forse che Petrovič aveva una moglie, la quale portava perfino la cuffietta invece del fazzoletto[5]; ma per la bellezza, a quanto sembra, non poteva vantarsi; almeno, incontrandola, solo i soldati della guardia le gettavano uno sguardo sotto la cuffia, ammiccando col baffo e emettendo una particolare voce.

Arrampicandosi su per la scala che conduceva da Petrovič, che, bisogna renderle giustizia, era tutta imbrattata di acqua, di risciacquature di piatti e impregnata interamente di quell'odore di alcol che fa pizzicare gli occhi e, come è noto, è presente in permanenza in tutte le scale di servizio delle case pietroburghesi – arrampicandosi su per la scala, Akakij Akakievič già faceva qualche pensierino a quanto gli avrebbe chiesto Petrovič, e aveva deciso in cuor suo di non dargli più di due rubli. La porta era aperta perché la padrona di casa, intenta a preparare del pesce, aveva fatto tanto di quel fumo in cucina, che non era possibile vedere nemmeno gli scarafaggi. Akakij Akakievič attraversò la cucina, senza essere notato neanche dalla padrona, e finalmente entrò in una stanza dove vide Petrovič seduto ad un ampio tavolo di legno non verniciato e con le gambe piegate sotto di sé come un pascià turco. I piedi, secondo l'usanza dei sarti seduti al lavoro, erano nudi. E prima di tutto saltò agli occhi l'alluce, ben noto ad Akakij Akakievič, con un'unghia deturpata, grossa e spessa, come il guscio di una tartaruga. Al collo di Petrovič era appesa una matassa di seta e dei fili, mentre sulle ginocchia c'era un cencio. Già da circa tre minuti stava tentando di infilare un filo nella cruna di un ago, senza riuscirci, e perciò era molto arrabbiato

[5] La moglie di Petrovič porta una cuffia, come usavano le donne della borghesia, invece del fazzoletto, che portavano le popolane (*N.d.T.*).

contro l'oscurità e perfino contro il filo, borbottando a mezza voce: «Non entra, il barbaro; m'hai fatto perdere la pazienza, furfante che non sei altro!». Ad Akakij Akakievič dispiacque di essere arrivato proprio nel momento in cui Petrovič era arrabbiato: amava ordinare checchessia a Petrovič quando quest'ultimo era già un po' meno pimpante o, come si esprimeva la moglie di lui: «si era abbottato di acquavite, diavolo guercio». In quello stato Petrovič era abitualmente più cedevole e approvava tutto molto volentieri, ogni volta si inchinava e ringraziava perfino. Poi, a dir la verità, arrivava la moglie, lamentandosi che il marito, dice, era ubriaco e perciò aveva preso l'impegno troppo a buon mercato; ma se solo aggiungevi un *grivennik*[6], era bell'e fatta. Ora, invece, Petrovič sembrava essere in stato di sobrietà, e perciò duro, poco loquace, e propenso a sparare lo sa il diavolo che prezzi. Akakij Akakievič lo aveva ben capito e stava già per fare, come si dice, marcia indietro, ma la cosa ormai si era messa in moto. Petrovič lo fissò intensamente aguzzando verso di lui il suo unico occhio e Akakij Akakievič involontariamente disse:

«Salve, Petrovič!».

«Vi auguro salute, signore», disse Petrovič e guardò di sbieco col suo occhio le mani di Akakij Akakievič, volendo osservare che tipo di preda quello portasse.

«Ti ho portato, Petrovič, be'...»

Bisogna sapere che Akakij Akakievič si esprimeva per lo più con preposizioni, avverbi e, insomma, con quelle particelle che non hanno decisamente nessun significato. Se poi l'affare era molto spinoso, allora aveva perfino l'abitudine di non terminare affatto le frasi, cosicché molto spesso, dopo aver iniziato il discorso con le parole: «Questo, davvero, è proprio... be'...», e poi non aggiungeva altro, e lui stesso se ne dimenticava, pensando di aver già detto tutto.

«Che roba è?», disse Petrovič e osservò nel frattempo col suo unico occhio tutta la divisa di lui, iniziando dal col-

[6] Il *grivennik* è una moneta da dieci copeche (*N.d.T.*).

letto fino alle maniche, alla schiena, alle falde e alle asole – tutte cose a lui ben note, perché erano opera sua. Questo è l'uso dei sarti: questa è la prima cosa che farà nell'incontrarvi.

«Ecco... insomma, Petrovič... il cappotto, il panno... vedi bene, dappertutto in altri punti è assolutamente solido, si è un pochino impolverato, e sembra vecchio, ma è nuovo, ecco in questo unico punto, però, si è un po'... be'... sulla schiena, e anche qui su una spalla si è un po' consumato, ecco su questa spalla un pochino – lo vedi? tutto qui. Di lavoro ce n'è poco...»

Petrovič prese la *vestaglia*, la stese dapprima sul tavolo, la esaminò a lungo, scosse la testa e tese una mano verso la finestra per prendere la tabacchiera rotonda con il ritratto di un qualche generale, quale con esattezza non si sa, perché il punto in cui c'era la faccia era stato sfondato da un dito, e poi aggiustato incollandovi sopra un pezzettino quadrangolare di carta bambagina. Fiutato del tabacco, Petrovič aprì la *vestaglia* sulle braccia e la osservò controluce e scosse nuovamente la testa. Poi la rovesciò con la fodera all'insù e di nuovo scosse la testa, di nuovo tolse il coperchio col generale, aggiustato con un pezzetto di carta incollata, e, avendo riempito il naso di tabacco, chiuse, mise via la tabacchiera e, alla fine, disse:

«No, non si può aggiustare: pessimo guardaroba!».

A queste parole il cuore di Akakij Akakievič ebbe un sussulto.

«Perché mai non si può, Petrovič?», disse quasi con voce implorante, da fanciullo. «Eppure si è consumato solo sulle spalle, eppure tu hai dei pezzetti...»

«Sì, i pezzetti si possono trovare, i pezzetti si troveranno», disse Petrovič, «ma non si può cucirli: questa roba è del tutto marcia, se la tocchi con l'ago – ecco che già ti si disfa.»

«Che si disfi, e tu fai subito un rammendino.»

«Ma non c'è dove metterli i rammendini, non possono far presa, l'usura è troppo grande. Questo è un panno solo di nome, ma se soffia il vento vola via.»

«E allora tu rinforzalo. In qualunque modo, non saprei,... be'!...»

«No», disse Petrovič deciso, «non si può fare nulla. Questa roba è davvero pessima. Sarebbe meglio se voi, quando arriverà il periodo freddo invernale, ne ricavaste delle pezze da piedi, perché una calza non riscalda. L'hanno inventato i tedeschi, per prenderci più soldi (Petrovič amava, quando aveva l'occasione, punzecchiare i tedeschi); ma è evidente che ormai vi toccherà farvi un cappotto nuovo.»

Alla parola «nuovo», ad Akakij Akakievič si velarono gli occhi di nebbia, e tutto quello che c'era nella stanza iniziò a confonderglisi davanti. Vedeva chiaramente solo il generale con il pezzetto di carta incollato sulla faccia che stava sul coperchio della tabacchiera di Petrovič.

«Come nuovo?», disse, sempre come se si trovasse in un sogno. «Ma non ho nemmeno i soldi per farlo.»

«Sì, uno nuovo», disse con calma barbara Petrovič.

«Ah, ma se toccasse farne uno nuovo, come sarebbe... be'...»

«Cioè, quanto costerebbe?»

«Sì.»

«Bisognerà metterci tre cinquantoni e passa», disse Petrovič e intanto serrò le labbra in modo significativo. Amava molto gli effetti forti, amava mettere gli altri all'improvviso in qualche difficoltà e poi guardare di sottecchi che faccia facesse a quelle parole la persona messa in difficoltà.

«Centocinquanta rubli per un cappotto!», gridò il povero Akakij Akakievič, gridò, forse, per la prima volta dalla nascita, poiché si distingueva sempre per la voce sommessa.

«Sissignore», disse Petrovič, «e inoltre dipende da quale cappotto. Se si mette della martora sul colletto, e magari un cappuccio con fodera di seta, allora si arriva anche a duecento.»

«Petrovič, per favore», diceva Akakij Akakievič con voce implorante, senza sentire e senza sforzarsi di sentire le parole dette da Petrovič e tutti i suoi effetti, «trova il modo di aggiustarlo, che almeno serva ancora per un po'.»

«Ma no: sarebbe solo sprecare lavoro e gettare via i soldi», disse Petrovič, e Akakij Akakievič dopo queste parole uscì totalmente annientato.

Petrovič, invece, dopo che quello se ne fu andato, rimase ancora a lungo in piedi, serrando in modo significativo le labbra e senza rimettersi al lavoro, soddisfatto di non essersi squalificato, e anche di non aver tradito l'arte di sarto.

Uscito in strada, Akakij Akakievič era come in sogno. «Questo è proprio un bell'affare», si diceva, «davvero non avevo previsto che sarebbe andata così...» e poi, dopo un breve silenzio, aggiunse: «Allora ecco qui! in definitiva ecco com'è andata, ma davvero non potevo affatto neanche supporre che fosse così». Dopodiché seguì un ulteriore lungo silenzio, dopo il quale disse: «Sicché è proprio così! ecco poi una cosa proprio assolutamente inaspettata, be'... non avrei mai... ma tu guarda che situazione!». Detto questo, invece di andare a casa, si avviò nella direzione totalmente opposta, senza lui stesso sospettarlo. Per la strada lo urtò con il suo fianco tutto sporco uno spazzacamino e gli annerì tutta una spalla; un'intera cappellata di calce gli si versò addosso dall'alto di una casa in costruzione. Non notò niente di ciò, e solo poi, quando ebbe urtato una guardia che, messa accanto a sé la sua alabarda, stava versandosi da un corno del tabacco nel pugno calloso, solo allora tornò un po' in sé, e questo perché la guardia disse: «Che mi vieni proprio sul muso, non hai forse il marciapiedi?». Questo lo fece guardare intorno a sé e voltare in direzione di casa sua. Solo qui iniziò a raccogliere i pensieri, vide in un aspetto chiaro e reale la propria situazione, si mise a parlare con se stesso non più in modo frammentario, ma razionalmente e sinceramente, come con un amico sensato col quale si possono fare due chiacchiere sull'argomento più sincero e intimo. «Ma no», disse Akakij Akakievič, «ora con Petrovič non si può parlare: lui ora è, be'... la moglie, evidentemente, lo deve aver battuto. E invece è meglio se vado da lui la domenica mattina: dopo la baldoria del sabato storcerà il suo occhio e, avendo dormito a sazietà, allora avrà bisogno di bere per smaltire la sbornia, ma la moglie soldi non gliene darà, e in quel momento gli metterò in mano un bel *grivennik*, lui allora sarà più loquace e il cappotto quindi... be'...» Così ragionava tra sé e sé Akakij Akakievič, si rincuorò e attese la prima domenica, e, visto da lontano che la moglie di Petrovič era uscita di casa per andare da qualche parte, andò dritto da lui. Petrovič, effettivamente, dopo il sabato aveva l'occhio molto storto, teneva la testa verso il pavimento ed era del tutto assonnato; ma con tutto ciò, non appena seppe di cosa si trattava, fu come se il diavolo lo avesse urtato. «Non è possibile», disse, «compiacetevi di ordinarne uno nuovo.» Akakij Akakievič a questo punto gli ficcò in mano un bel *grivennik*. «Vi ringrazio, signore, mi rinforzerò un pochino alla vostra salute», disse Petrovič, «ma compiacetevi di mettervi il cuore in pace sul cappotto: non serve più a niente. Il nuovo cappotto ve lo cucirò a meraviglia, di questo non vi preoccupate.»

Akakij Akakievič fece per dire ancora qualcosa a proposito della rammendatura, ma Petrovič non lo stette a sentire e disse: «Quello nuovo ve lo farò senz'altro, su questo compiacetevi di contare, lo faremo con cura. Si potrebbe perfino farlo secondo la moda: il colletto si aggancerà su delle zampette d'argento sotto l'*applique*».

E a questo punto Akakij Akakievič vide che non si poteva fare a meno di un cappotto nuovo, e si perse completamente d'animo. Ma in effetti come, con cosa, con quali soldi farlo? S'intende, si sarebbe potuto in parte fare assegnamento sulla futura gratifica per la festa, ma quei soldi già da tempo erano stati collocati e suddivisi in anticipo. Era necessario procurarsi dei pantaloni nuovi, pagare al calzolaio un vecchio debito per aver messo delle tomaie nuove a dei vecchi gambali, e occorreva ordinare alla sarta tre camicie, e un paio di capi di quella biancheria che è sconveniente nominare nello stile libresco, in una parola: tutti i soldi dovevano essere completamente spesi; e se anche il direttore fosse stato così clemente da assegnare invece di quaranta rubli di gratifica quarantacinque o cinquanta, allora comunque sarebbe rimasta un'autentica sciocchezza che nel capitale per il cappotto sarebbe stata come una goccia nel mare. Sebbene, in definitiva, sapesse che a Petrovič era saltato il ticchio di sparare improvvisamente lo sa il diavolo quale esorbitante prezzo, cosicché ormai la moglie non poteva trattenersi dal gridare: «Ma che sei impazzito? stupido che non sei altro! Un'altra volta prende del lavoro per niente, ora invece gli salta in testa di chiedere un prezzo tale, che lui stesso non lo merita». Sebbene, in definitiva, sapesse che Petrovič si sarebbe messo a lavorare anche per ottanta rubli, tuttavia ciononostante, dove prenderli quegli ottanta rubli? Una metà la si sarebbe ancora potuta trovare: una metà la si sarebbe racimolata; forse anche qualcosina di più; ma dove prendere l'altra metà?... Ma prima il lettore deve sapere da dove sarebbe saltata fuori la prima metà. Akakij Akakievič aveva l'abitudine di mettere da parte un *groš*[7] per ogni rublo speso, in una piccola cassetta chiusa a chiave, con nel coperchietto una fessuretta praticata per gettarci dentro i soldi. Allo scadere di ogni semestre, egli controllava la somma in rame accumulata e la cambiava in spiccioli d'argento. Andava avanti così da molto tempo, e in quel modo nel corso di alcuni anni risultò che le somme accumulate erano più di quaranta rubli. Cosicché una metà l'aveva nelle mani; ma dove andare a prendere l'altra metà? Dove prendere gli altri quaranta rubli? Akakij Akakievič, pensa che ti ripensa, decise che sarebbe stato necessario diminuire le spese ordinarie, per la durata di almeno un anno: eliminare l'uso del tè la sera, non accendere la sera le candele, e, se fosse stato necessario fare qualcosa, andare nella camera della padrona e lavorare con la sua candela; camminando per la strada, posare i piedi il più leggermente possibile e con la massima attenzione sulle pietre e le lastre, quasi sulle punte, in modo da non consumare rapidamente le suole; dare il più raramente possibile la biancheria da lavare alla lavandaia, e, per non consumarla, arrivan-

[7] Il *groš* è un'antica moneta russa da mezza copeca (*N.d.T.*).

do a casa, ogni volta, toglierla e rimanere con solo la vestaglia di mezzo cotone, molto vecchia e risparmiata perfino dal tempo. Bisogna dire la verità: inizialmente gli fu un po' difficile abituarsi a simili limitazioni, ma poi in qualche modo si abituò e andò tutto a gonfie vele; imparò perfino a digiunare completamente la sera; ma in cambio si nutriva spiritualmente, avendo fissa nei propri pensieri l'idea del futuro cappotto. Da allora fu come se la sua stessa esistenza si fosse fatta in qualche modo più piena, come se si fosse sposato, come se un'altra persona fosse presente insieme a lui, come se non fosse solo, ma una piacevole compagna[8] di vita avesse acconsentito a percorrere insieme a lui la strada della vita - e questa amica altri non era se non quello stesso cappotto imbottito di ovatta spessa, con una fodera forte e resistente all'usura. Egli era diventato in qualche modo più vivace, perfino più forte di carattere, come una persona che ha già deciso e si è fissata uno scopo. Dal suo viso e dai suoi comportamenti scomparve da solo il dubbio, l'indecisione - in una parola tutti i tratti oscillanti ed incerti. Alle volte appariva un fuoco nei suoi occhi, nella testa balenavano perfino i pensieri più audaci e temerari: non si doveva magari mettere la martora sul colletto? Le riflessioni sull'argomento mancava poco lo conducessero alla distrazione. Una volta, copiando una carta, poco mancò che non facesse perfino degli errori, tanto che gridò quasi ad alta voce: «uh!» e si segnò. Nel corso di ogni mese egli, almeno una volta, andava a trovare Petrovič per parlare un po' del cappotto, dove fosse meglio comprare il panno, e di quale colore, e da quale prezzo e, sebbene fosse alquanto inquieto, tornava a casa sempre contento, pensando che alla fine sarebbe arrivato il momento in cui tutto ciò sarebbe stato comprato e il cappotto sarebbe stato fatto. La faccenda andò perfino più velocemente di quanto si attendesse. Contro ogni aspettativa, il direttore assegnò ad Akakij

[8] È importante sottolineare che la parola *šinel'*, e cioè cappotto, dal francese *chenille*, in russo è di genere femminile, mentre la parola *kapot*, cioè vestaglia, dal francese *capote*, è di genere maschile (*N.d.T.*).

Akakievič non quaranta o quarantacinque rubli, ma ben sessanta: che avesse già presentito che Akakij Akakievič aveva bisogno di un cappotto o la cosa fosse successa da sé, ma comunque grazie a ciò si trovò venti rubli in più. Questa circostanza velocizzò l'andamento della faccenda. Ancora due o tre mesi di un po' di digiuno – e ad Akakij Akakievič si accumularono esattamente un'ottantina di rubli. Il suo cuore, in generale molto tranquillo, iniziò a battere. Il primo giorno si diresse insieme a Petrovič per negozi. Comprarono del panno molto buono – e non fu tanto difficile, perché ci stavano pensando già da sei mesi ed erano stati rari i mesi in cui non erano passati dai negozi per aggiornarsi sui prezzi; perciò lo stesso Petrovič disse che un panno migliore non c'era. Per la fodera scelsero del percalle, ma talmente di buona qualità e robusto che, secondo le parole di Petrovič, era ancora meglio della seta e all'aspetto perfino più bello e brillante. Di martora non ne comprarono, perché era davvero cara, ma al suo posto scelsero il miglior gatto che solo si potesse trovare nel negozio, un gatto che da lontano avrebbe sempre potuto essere preso per martora. Petrovič si diede da fare al cappotto per due settimane in tutto, perché c'erano molte impunture, altrimenti sarebbe stato pronto prima. Per il lavoro Petrovič prese dodici rubli – meno non fu assolutamente possibile: tutto era stato completamente cucito in seta, con una doppia cucitura minuta, e su ogni cucitura Petrovič era poi passato coi denti, imprimendo così alla stoffa diverse figure. Fu un... è difficile dire proprio in che giorno, ma, verosimilmente, fu il più solenne giorno della vita di Akakij Akakievič quando Petrovič portò, finalmente, il cappotto. Lo portò di mattina, proprio un momento prima che si dovesse andare al dipartimento. In nessun altro momento il cappotto sarebbe arrivato tanto a proposito, perché erano già iniziate gelate abbastanza pungenti e sembrava minacciassero di rafforzarsi ancora di più. Petrovič apparve col cappotto, come si conviene ad ogni buon sarto. Sul suo viso c'era un'espressione talmente significativa come Akakij Akakievič non aveva ancora mai visto. Sembrava pienamente consapevole di aver realizzato una cosa non trascurabile e di aver all'improvviso evidenziato in sé l'abisso che separa i sarti che mettono solo fodere e rammendano da quelli che cuciono *ex novo*. Tirò fuori il cappotto da un fazzoletto da naso nel quale l'aveva portato; il fazzoletto era fresco di bucato; dopodiché lo piegò e lo mise in tasca pronto all'uso. Tirato fuori il cappotto, lo guardò con grande orgoglio e, tenendolo sulle due braccia, lo gettò molto abilmente sulle spalle di Akakij Akakievič; poi lo tirò e lo sistemò dietro con una mano verso il basso; poi ci drappeggiò Akakij Akakievič lasciando qualche bottone sbottonato. Akakij Akakievič, da persona di una certa età, voleva provarlo con le maniche; Petrovič lo aiutò ad infilarlo anche con le maniche – ne risultò che anche con le maniche andava bene. In una parola, si rivelò che il cappotto andava perfettamente e proprio a pennello. Petrovič non rinunciò per ogni evenienza a dire che era così solo perché abitava senza insegna in una strada secondaria e inoltre conosceva da tempo Akakij Akakievič, perciò prendeva così poco; ma sul Nevskij prospekt gli avrebbero preso solo per il lavoro settantacinque rubli. Akakij Akakievič non voleva discuterne con Petrovič, e per giunta temeva tutte le forti somme con le quali Petrovič amava buttare polvere negli occhi. Regolò i conti, lo ringraziò ed uscì subito col cappotto nuovo diretto al dipartimento. Petrovič uscì dietro a lui e, fermo in strada, ancora a lungo guardò da lontano il cappotto, e poi si avviò apposta da un lato, per risbucare di corsa, dopo aver fatto il giro per un vicolo tortuoso, sulla strada e guardare ancora una volta il suo cappotto dall'altro lato, cioè direttamente di fronte. Nel frattempo, Akakij Akakievič camminava nella più festosa disposizione di tutti i sentimenti. Percepiva ogni attimo di minuto di avere sulle spalle un cappotto nuovo, e più volte sorrise perfino dal piacere interiore. In effetti i vantaggi erano due: uno, che era caldo, e secondo, che era bello. Non notò affatto la strada e si venne a trovare all'improvviso al dipartimento; in portineria si tolse il cappotto, lo osservò rigirandolo e lo consegnò al portiere, che ne avesse una particolare cura. Non si sa in che modo, al dipartimento tutti all'improvviso seppero che Akakij Akakievič aveva un cappotto nuovo e che la *vestaglia* ormai non esisteva più. Tutti all'istante corsero fuori in portineria a vedere il nuovo cappotto di Akakij Akakievič. Cominciarono a fargli le congratulazioni, a festeggiarlo, cosicché lui inizialmente si limitò a sorridere, ma poi provò perfino vergogna. Quando poi tutti, avvicinatiglisi, si misero a dire che bisognava brindare al nuovo cappotto, e che avrebbe dovuto almeno organizzare una serata per tutti loro, Akakij Akakievič si perse totalmente, non sapeva come comportarsi, cosa rispondere e che scusa trovare. Già dopo qualche minuto, tutto rosso, iniziò ad assicurare in modo abbastanza ingenuo che non era affatto un cappotto nuovo, che era così, che era un cappotto vecchio. Alla fine uno degli impiegati, addirittura un vice capo-sezione, verosimilmente per mostrare di non essere per niente altezzoso e di frequentare perfino gente a lui inferiore, disse: «E sia, darò io una serata al posto di Akakij Akakievič e vi invito oggi da me per un tè: oggi, nemmeno a farlo apposta, è il mio onomastico». Gli impiegati, naturalmente, fecero subito gli auguri al vice capo-sezione e accettarono con piacere l'invito. Akakij Akakievič aveva iniziato a trovare scuse, ma tutti si misero a dire che non era cortese, che era una vera vergogna, ed egli ormai non poté in nessun modo trovare scuse. Del resto, in seguito l'idea gli sorrise, quando ricordò che avrebbe avuto grazie a ciò l'occasione di andare perfino a una serata col cappotto nuovo. Tutto quel giorno fu per Akakij Akakievič proprio la più grande e solenne festa. Tornò a casa nella più felice disposizione d'animo, si tolse il cappotto e lo appese con riguardo alla parete, dopo aver ancora una volta molto ammirato il panno e la fodera, e poi tirò fuori apposta per un confronto la sua precedente *vestaglia*, completamente a brandelli. La guardò, e perfino lui si mise a ridere: tanto era grande la differenza! E in seguito, durante il pranzo, ancora a lungo non fece altro che sorridere, non appena gli veniva in mente lo stato in cui si trovava la *vestaglia*. Pranzò allegramente e dopo il pranzo non scrisse più nulla, nessuna carta, e così per un pochino fece il sibarita sul letto, finché non imbrunì. Poi, senza tirarla per le lunghe, si vestì, si mise il cappotto sulle spalle e uscì in strada. Dove vivesse di preciso l'impiegato che aveva fatto l'invito, purtroppo, non possiamo dirlo: la memoria inizia spesso a tradirci, e qualunque cosa ci sia a Pietroburgo, tutte le strade e le case si sono fuse e mescolate tanto nella testa, che è molto difficile ricavarne qualcosa con un aspetto ordinato. Comunque sia, ma almeno è esatto che l'impiegato viveva nella parte migliore della città - dunque non molto vicino ad Akakij Akakievič. Inizialmente Akakij Akakievič dovette passare per delle strade deserte e con un'illuminazione debole, ma, man mano che si avvicinava all'appartamento dell'impiegato, le strade si facevano più vivaci, più affollate e meglio illuminate. I passanti cominciarono a balenare più frequentemente, si iniziarono ad incontrare anche dame ben vestite, sugli uomini si incontravano colletti di castoro, più raramente si vedevano i vetturini con le loro slitte di legno con griglia su cui erano conficcati chiodini dorati - al contrario, ci si imbatteva di continuo in cocchieri con cappelli di velluto lampone, con slitte laccate, con coperte d'orso, e volavano per la strada, facendo stridere le ruote sulla neve, delle carrozze con la serpa addobbata. Akakij Akakievič guardava tutto ciò come una novità. Erano già alcuni anni che non usciva per strada la sera. Si fermò con curiosità davanti alla vetrina illuminata di un negozio a guardare un quadro dove era raffigurata una bella donna che si toglieva una scarpa, denudando in tal modo tutta la gamba nient'affatto male; ma, dietro la sua schiena, dalla porta di un'altra stanza, sbucava la testa di un uomo con le basette e una bella barbetta alla spagnola sotto il labbro. Akakij Akakievič scosse la testa e sorrise, e poi si avviò per la sua strada. Perché aveva sorriso? Forse perché si era imbattuto in una cosa del tutto sconosciuta, ma per la quale, tuttavia, in ciascuno si conserva comunque un certo fiuto, o aveva pensato, similmente a molti altri impiegati, quanto segue: «Ma tu guarda questi francesi! non c'è che dire, se solo vogliono qualcosa, be', allora stai certo che... be'...». Ma forse non aveva pensato neanche questo - non è poi sempre possibile penetrare l'anima di una persona e sapere tutto ciò che pensa. Alla fine raggiunse la casa nella quale dimorava il vice capo-sezione. Il vice capo-sezione viveva alla grande: sulla scala brillava una lanterna, l'appartamento era al secondo piano. Entrato nell'anticamera, Akakij Akakievič vide sul pavimento intere file di galosce. Tra queste, in mezzo alla stanza, c'era il *samovar*, che rumoreggiava e emetteva vapore a nuvole. Alle pareti erano appesi tutti i cappotti, e i mantelli, alcuni dei quali avevano perfino i collettini di castoro o i risvolti di velluto. Oltre la parete erano udibili un rumore e un vocio che si fecero all'improvviso chiari e sonori quando la porta si aprì ed uscì un lacchè con un vassoio, riempito con bicchieri ormai vuoti, una lattiera e un canestro di biscotti. Era evidente che gli impiegati già da tempo si erano riuniti e avevano bevuto un primo bicchiere di tè. Akakij Akakievič, appeso personalmente il proprio cappotto, entrò nella camera, e davanti a lui balenarono contemporaneamente le candele, gli impiegati, le pipe, i tavoli da gioco, e colpirono confusamente il suo udito il rapido conversare che si sollevava da ogni lato e un rumore di sedie spostate. Si fermò molto impacciato in mezzo alla stanza, cercando e tentando di escogitare cosa dovesse fare. Ma ormai l'avevano notato, lo accolsero con un grido e tutti andarono subito nell'anticamera e osservarono di nuovo il suo cappotto. Akakij Akakievič, sebbene già fosse in parte andato in confusione, essendo una persona candida, non poté non rallegrarsi vedendo che tutti lodavano il cappotto. Poi, s'intende, tutti mollarono e lui e il cappotto, e si rivolsero, com'è d'uso, ai tavoli preparati per il *whist*. Tutto ciò: il rumore, il vocìo e la folla di gente - tutto ciò era in certo modo strano per Akakij Akakievič. Egli proprio non sapeva come comportarsi, dove ficcare le mani, le gambe e tutta la sua figura; alla fine si sedette accanto a quelli che giocavano, osservava le carte, non staccava gli occhi dalla faccia dell'uno o dell'altro e dopo un po' di tempo iniziò a sbadigliare, a sentirsi annoiato, tanto più che già da un pezzo era arrivata l'ora in cui egli, per abitudine, andava a letto. Voleva accomiatarsi dal padrone, ma non lo lasciarono andare, dicendo che bisognava assolutamente bere in onore del nuovo acquisto una coppa di champagne. Dopo un'ora servirono la cena, che consisteva in insalata russa, vitello freddo, pâté, pasticcini e champagne. Ad Akakij Akakievič fecero bere due coppe, dopo le quali egli sentì che nella stanza l'atmosfera si era fatta più allegra, tuttavia non poteva in nessun modo dimenticare che era già mezzanotte e che era giunto da tempo il momento di andare a casa. Perché in qualche modo il padrone non avesse l'idea di trattenerlo, egli uscì piano piano dalla stanza, cercò nell'anticamera il cappotto che vide non senza dispiacere sul pavimento, lo scosse, ne tolse ogni pelucco, se lo mise sulle spalle e scese per la scala in strada. Fuori era ancora tutto illuminato. Alcune botteguccce minute, questi inamovibili ritrovi di domestici e di gente di ogni tipo, erano aperte, altre, invece, che erano chiuse, mostravano tuttavia una lunga striscia di luce in tutta la fessura della porta, a significare che non erano ancora prive di gente e, verosimilmente, domestiche o servi dovevano ancora concludere i loro pettegolezzi e le loro chiacchiere, gettando i padroni in una totale perplessità riguardo la loro ubicazione. Akakij Akakievič camminava con un'allegra disposizione d'animo; all'improvviso si mise perfino a correre, non si sa perché, dietro una dama che, come un lampo, gli era passata accanto e che aveva ogni parte del corpo riempita di un insolito movimento. Ma, tuttavia, si fermò subito e si rimise a camminare molto lentamente come prima, meravigliandosi perfino lui stesso per quell'impulso a correre uscito da non si sa dove. Ben presto davanti a lui si allungarono quelle strade deserte che nemmeno di giorno sono così allegre, ma tanto più la sera. Ora si facevano sempre più solitarie e isolate: le lanterne avevano iniziato a balenare più raramente - di olio, com'era evidente, ne veniva messo già meno; c'erano file di case di legno, di steccati; non c'era anima viva; solo la neve brillava per le strade e nereggiavano tristi, con le imposte serrate, delle basse casupole addormentate. Egli si avvicinò al punto in cui la strada era interrotta da una piazza interminabile, con le sue case appena visibili dall'altro lato, che sembrava un terribile deserto.

In lontananza, dio sa dove, balenava la lucetta di una qualche garitta, che sembrava stesse ai confini del mondo. L'allegria di Akakij Akakievič qui diminuì piuttosto sensibilmente. Sbucò nella piazza non senza un involontario timore, proprio come se il suo cuore presentisse qualcosa di brutto. Si guardò indietro e sui lati: un vero mare intorno a lui. «No, meglio non guardare neanche», pensò e camminava, con gli occhi chiusi, e quando li aprì per sapere se fosse vicina la fine della piazza, vide all'improvviso davanti a sé, quasi sotto il suo naso, delle persone coi baffi, che tipo esattamente, questo non poteva ormai nemmeno distinguerlo. Una nebbia gli velò gli occhi e il pettò iniziò a battere. «Ma questo è il mio cappotto!», disse uno di loro con voce tonante, dopo averlo afferrato per il colletto. Akakij Akakievič voleva già gridare «aiuto», quando l'altro gli mise proprio sotto la bocca il pugno, grande come la testa dell'impiegato, aggiungendo: «Provati solo a gridare!». Akakij Akakievič sentì solo che gli toglievano il cappotto, gli davano una ginocchiata, e stramazzò nella neve e non sentì più nulla. Dopo alcuni minuti si riebbe e si rialzò, ma non c'era più nessuno. Sentiva che lì in mezzo era freddo, e il cappotto non c'era; iniziò a gridare, ma la voce sembrava non ci pensasse nemmeno a volare fino all'estremo della piazza. Disperato, senza smettere di gridare, si mise a correre attraverso la piazza direttamente verso la garitta accanto alla quale c'era la guardia che, appoggiatasi alla propria alabarda, guardava con apparente curiosità, sperando di sapere chi diavolo corresse verso di lui da lontano e gridando. Akakij Akakievič, raggiuntolo di corsa, iniziò a gridare con voce soffocata che dormiva e non badava a niente, non vedeva come rapinavano una persona. La guardia rispose che non aveva visto niente, che aveva visto che lo avevano fermato in mezzo alla piazza un paio di persone, ma pensava fossero amici suoi; e, invece di imprecare inutilmente, che andasse il giorno dopo dal sorvegliante, così il sorvegliante avrebbe cercato chi aveva preso il cappotto. Akakij Akakievič arrivò di corsa a casa totalmente sconvolto: i capelli, che aveva ancora in piccola quantità sulle tempie e la nuca, si erano totalmente arruffati; il fianco e il petto e tutti i pantaloni erano pieni di neve. La vecchia, la sua padrona di casa, sentendo un terribile colpo alla porta, saltò giù in fretta dal letto e con una pantofola su un solo piede corse ad aprire la porta, stringendosi per decenza al petto, con una mano, la camicia; ma, aperta la porta, retrocesse, vedendo Akakij Akakievič in un simile stato. Quando egli le ebbe raccontato di cosa si trattava, allargò le braccia in segno di meraviglia e disse che bisognava andare dritti dal commissario di distretto, che quello di quartiere lo avrebbe bidonato, avrebbe fatto delle promesse e si sarebbe messo a prenderlo in giro; meglio di tutto, invece, era andare dritti dal commissario di distretto, che era pure un suo conoscente, perché Anna, la finlandese, che aveva servito prima da lei come cuoca, ora era stata assunta come balia dal commissario di distretto, che lei lo vedeva spesso passeggiare di persona davanti a casa loro, e che c'era anche ogni domenica in chiesa, pregava, e nel frattempo guardava allegramente tutti, e che, quindi, da tutto era evidente che doveva essere una brava persona. Ascoltata una tale conclusione, Akakij Akakievič si trascinò accorato nella sua camera, e come vi abbia passato la notte lo si lascia giudicare a colui che riesce minimamente a mettersi nei panni di un altro. Il mattino presto si diresse dal commissario di distretto; ma dissero che dormiva; tornò alle dieci - dissero di nuovo: dorme; tornò alle undici - dissero: ma il commissario non è in casa; tornò all'ora di pranzo - ma gli scrivani in anticamera non lo vollero in nessun modo far passare e vollero assolutamente sapere per quale faccenda e quale necessità lo avesse condotto lì e cos'era successo. Cosicché alla fine Akakij Akakievič, per una volta nella vita, volle dimostrare carattere e disse recisamente che aveva bisogno di vedere proprio il commissario in persona, che non avrebbero osato di non farlo passare, che era venuto dal dipartimento per una faccenda burocratica, e che si sarebbe di certo lagnato di loro, e allora avrebbero visto. Contro ciò gli scrivani non osarono dire niente e uno di loro andò a chiamare il commissario. Il commissario di distretto accolse in modo straordinariamente strano il racconto della rapina del cappotto. Invece di prestare attenzione al punto principale del fatto, iniziò a fare un sacco di domande ad Akakij Akakievič: e perché tornasse tanto tardi, e se non fosse per caso passato e non fosse per caso stato in qualche casa indegna, tanto che Akakij Akakievič andò totalmente in confusione ed uscì di lì lui stesso senza sapere se la faccenda del cappotto avrebbe avuto il corso necessario o no. Per tutto quel giorno non lo si vide in ufficio (unico caso nella sua vita). Il giorno dopo apparve tutto pallido e con la sua vecchia *vestaglia*, che si era fatta ancora più pietosa. La narrazione della rapina del cappotto, nonostante il fatto che si trovarono degli impiegati i quali non tralasciarono neanche in quell'occasione di deridere Akakij Akakievič, tuttavia toccò molti. Si decise subito di fare una colletta in suo favore, ma raccolsero una vera inezia, perché gli impiegati avevano già senza questo speso molto, avendo sottoscritto per il ritratto del direttore e per un certo libro, su proposta del responsabile di divisione che era amico dello scrittore – cosicché la somma risultò una vera inezia. Qualcuno, mosso da compassione, si decise, almeno, ad aiutare Akakij Akakievič con un buon consiglio, dicendogli di andare non dal commissario di quartiere, perché poteva anche succedere che il commissario di quartiere, desiderando conquistarsi il consenso delle autorità, avrebbe trovato in qualche modo il cappotto, ma comunque il cappotto sarebbe rimasto alla polizia, se egli non avesse presentato le prove legali che quello gli apparteneva; meglio di tutto, invece, era che si rivolgesse ad un *personaggio importante*, poiché il *personaggio importante*, comunicando e accordandosi per iscritto con chi di dovere, poteva far andare la faccenda con maggior successo. Non ci fu niente da fare, Akakij Akakievič si decise ad andare dal *personaggio importante*. Quale fosse e in che cosa consistesse esattamente la mansione del *personaggio importante*, questo è rimasto a tutt'oggi ignoto. Bisogna sapere che *quel personaggio importante* era diventato da poco un personaggio importante, e fino ad allora era stato un personaggio per niente importante. Del resto, il suo posto anche in quel momento non era ritenuto importante rispetto ad altri ancora più importanti. Ma si troverà sempre un giro di gente per il quale una cosa per niente importante ad occhi altrui è già importante. Del resto, egli cercava di rafforzare la propria importanza con molti altri mezzi, e cioè: aveva stabilito che gli impiegati di basso rango lo accogliessero sulla scala quando arrivava in ufficio; che nessuno osasse presentarsi direttamente a lui, ma che tutto seguisse l'ordine gerarchico più severo: il registratore collegiale avrebbe dovuto fare rapporto al segretario di governatorato, il segretario di governatorato – a quello titolare, o a chiunque altro capitasse, e che la faccenda poi, in questo modo, arrivasse a lui. Già a tal punto nella santa Russia tutto è contaminato dall'imitazione, che ognuno canzona e scimmiotta il proprio superiore. Dicono perfino che un certo consigliere titolare, quando lo promossero capo di una piccola cancelleria autonoma, subito si fece fare una propria camera distaccata, che chiamava «camera di udienza», e piazzò alla porta certi uscieri con i colletti rossi, i galloni, che tenevano la maniglia della porta e l'aprivano a tutti quelli che arrivavano, sebbene nella «camera di udienza» a stento potesse entrare una normale scrivania. I metodi e le abitudini del *personaggio importante* erano solidi e maestosi, ma non molto complicati. Il fondamento principale del suo sistema era la severità. «Severità, severità e – severità», ripeteva generalmente, e sull'ultima parola generalmente guardava in modo molto significativo la faccia di colui al quale parlava. Sebbene del resto non ce ne fosse nemmeno alcun motivo, poiché la decina di impiegati che costituivano tutto il meccanismo esecutivo della cancelleria, anche senza questo era nel debito terrore: scorgendolo da lontano, già lasciava il lavoro e aspettava in piedi sull'attenti, finché il capo non avesse attraversato la stanza. La sua conversazione abituale con gli inferiori era improntata alla severità e consisteva quasi solo in tre frasi: «Come osate? Sapete con chi state parlando? Avete idea di chi vi sta davanti?». Del resto, era nell'animo una brava persona, buono con i compagni, servizievole; ma il grado di generale gli aveva fatto perdere assolutamente la testa. Dopo aver ottenuto il grado di generale, si era in qualche modo confuso, si era smarrito e non sapeva assolutamente come comportarsi. Se gli succedeva di stare con dei suoi pari, era ancora un uomo come si deve, un uomo molto perbene, sotto molti aspetti perfino un uomo non stupido; ma se soltanto gli succedeva di stare in compagnia di persone anche solo di un grado inferiori a lui, allora era come se non valesse assolutamente nulla: taceva, e il suo atteggiamento suscitava compassione, tanto più che lui stesso sentiva che avrebbe potuto passare il tempo incomparabilmente meglio. Nei suoi occhi si vedeva a volte un forte desiderio di unirsi ad un qualsiasi discorso e gruppetto interessanti, ma lo fermava il pensiero: non era forse già troppo da parte sua? non sarebbe stato dare troppa confidenza? e con questo non avrebbe diminuito la propria importanza? E in conseguenza di simili ragionamenti rimaneva in eterno in uno stesso e identico stato di mutismo, pronunciando solo di tanto in tanto alcuni suoni monosillabici, e in tal modo acquistò il titolo di uomo più noioso. A un simile *personaggio importante* si presentò il nostro Akakij Akakievič, e si presentò nel momento più sfavorevole, molto a sproposito per se stesso, sebbene, del resto, a proposito per il personaggio importante. Il personaggio importante si trovava nel suo gabinetto e chiacchierava molto molto allegramente con un vecchio conoscente e compagno d'infanzia giunto da poco, con il quale non si vedeva da alcuni anni. In quel momento gli riferirono che era arrivato un certo Bašmačkin. Egli chiese seccamente: «Chi è?». Gli risposero: «Un impiegato». – «Ah! può aspettare, ora non è il momento», disse la persona importante. Qui è necessario dire che la persona importante aveva raccontato un'autentica frottola: aveva tempo, era già da un pezzo che con l'amico avevano esaurito tutti gli argomenti e già da un pezzo intervallavano la conversazione con lunghissimi silenzi, dandosi solo l'un l'altro dei leggeri buffetti sulle cosce e dicendo: «Allora, Ivan Abramovič!» – «E allora, Stepan Varlamovič!». Ma con tutto ciò, tuttavia, ordinò all'impiegato di aspettare, per dimostrare all'amico, persona che da molto non era più in servizio e se ne stava nella sua casa in campagna, quanto tempo aspettassero nella sua anticamera gli impiegati. Alla fine, avendo chiacchierato e avendo ancora di più taciuto a sazietà, dopo aver fumato un sigaretto nelle poltrone molto confortevoli con gli schienali ribaltabili, egli, alla fine, come se se ne fosse ricordato all'improvviso, disse al segretario che stava fermo accanto alla porta con le carte per il rapporto: «Sì, ma lì ci deve essere un impiegato; ditegli che può entrare». Visto l'aspetto dimesso di Akakij Akakievič e la sua divisa vecchiotta, gli si rivolse all'improvviso e disse: «Cosa desiderate?» – con una voce secca e dura che aveva studiato apposta in precedenza nella propria camera, in solitudine e davanti allo specchio, ancora una settimana prima di ricevere il suo attuale posto e grado di generale. Akakij Akakievič provava già in anticipo la debita timidezza, si turbò alquanto e, come poteva, per quanto glielo permettesse la scioltezza della lingua, spiegò, con l'aggiunta ancora più frequente del solito della particella «be'», che aveva, dice, un cappotto totalmente nuovo, e ora gli era stato rapinato in modo inumano, e che si rivolgeva a lui perché su sua intercessione in qualche modo... be'... si accordasse per iscritto con il sig. capo della polizia, o chi per lui, e ritrovasse il cappotto. Al generale, non si sa perché, quell'atteggiamento apparve troppo confidenziale.

«Insomma, egregio signore», continuò seccamente, «non conoscete l'ordine gerarchico? dove credete di essere? non sapete come si conducono faccende del genere? A proposito di questo avreste dovuto prima presentare una supplica alla cancelleria; quella sarebbe passata al capo-sezione, al responsabile della divisione, in seguito sarebbe stata data al segretario, e il segretario l'avrebbe fatta poi pervenire a me...»

«Ma vostra eccellenza», disse Akakij Akakievič, cercando di raccogliere quella manciatina di presenza di spirito che gli restava, e sentendo al tempo stesso che stava sudando in modo terribile, «io, vostra eccellenza, ho avuto l'ardire di incomodarla perché i segretari, be'... è gente non affidabile...»

«Cosa, cosa, cosa?», disse il personaggio importante. «Dove avete preso un simile coraggio? dove avete preso simili idee? che razza di furia si è diffusa tra i giovani contro i capi e i superiori?»

Il personaggio importante sembrava non notare che Akakij Akakievič aveva già passato la cinquantina. Dunque, se anche avesse potuto chiamarlo giovane, lo avrebbe fatto solo relativamente, cioè in relazione a chi aveva già settant'anni.

«Sapete a chi lo state dicendo? avete idea di chi vi sta davanti? ne avete idea, ne avete idea? ve lo chiedo.»

Qui pestò il piede, alzando la voce fino ad una nota talmente alta che perfino uno che non fosse stato Akakij Akakievič avrebbe avuto paura. Akakij Akakievič rimase di stucco, barcollò, iniziò a sussultare con tutto il corpo e non poté in nessun modo rimanere in piedi: se non fossero subito accorsi i custodi a sostenerlo, sarebbe stramazzato al suolo; lo portarono fuori che quasi non dava segni di vita. E il personaggio importante, contento che l'effetto avesse superato perfino l'attesa, e totalmente inebriato al pensiero che una sua parola poteva perfino far perdere i sensi ad una persona, guardò di sottecchi l'amico, per sapere come vedeva la cosa, e non senza soddisfazione vide che il suo amico si trovava in una situazione di massima incertezza e cominciava perfino lui stesso, per parte sua, a provare paura.

Come avesse sceso le scale, come fosse uscito in strada, Akakij Akakievič non ricordava più nulla di tutto ciò. Non sentiva né braccia, né gambe. Nella sua vita non era ancora mai stato strigliato così violentemente da un generale, e in più anche di un'altra divisione. Camminava nella burrasca che fischiava per le strade, la bocca spalancata, deviando dai marciapiedi; il vento, secondo l'abitudine pietroburghese, soffiava su di lui da tutti e quattro i lati, da tutti i vicoli. In men che non si dica gli venne un'angina, ed arrivò a stento a casa senza la forza di dire neanche una parola: si era tutto gonfiato e si mise a letto. Così violenta è delle volte una strigliata in piena regola! Il giorno dopo gli si manifestò una forte febbre. Grazie alla magnanima collaborazione del clima pietroburghese, la malattia procedette più rapidamente di quanto ci si sarebbe potuti aspettare, e quando apparve il dottore, allora questi, sentito il polso, non trovò altro da fare se non prescrivere un impacco, unicamente, ormai, perché il malato non rimanesse senza il benefico aiuto della medicina; e del resto, gli annunciò seduta stante un sicuro *kaputt* dopo un giorno e mezzo. Dopodiché si rivolse alla padrona e disse: «E voi, *matuška*, non perdete tempo invano, ordinategli subito una bara di pino, perché una di quercia sarebbe cara per lui». Se Akakij Akakievič avesse sentito queste parole per lui fatali, e se anche le aveva sentite, se avessero avuto su di lui un effetto sconvolgente, se avesse dei rimpianti per la sua miserevole vita – non se ne sa niente, perché egli stette per tutto il tempo nel delirio della febbre. Delle apparizioni, una più strana dell'altra, gli si presentavano senza sosta: ora vedeva Petrovič e gli ordinava di fare un cappotto con delle trappole per ladri, che gli apparivano senza sosta sotto il letto, e ogni minuto chiamava la padrona che gli tirasse fuori un ladro perfino da sotto la coperta; ora chiedeva perché avesse appesa davanti la sua vecchia *vestaglia*, dato che aveva il cappotto nuovo; ora gli sembrava di stare in piedi di fronte al generale mentre ascoltava una strigliata in piena regola, e diceva: «Sono colpevole, vostra eccellenza!»; ora, infine, bestemmiava perfino, pronunciando le parole più terribili, tanto che la vecchia padrona si segnava perfino, non avendo mai sentito da lui niente di simile, tanto più che queste parole seguivano immediatamente la parola «vostra eccellenza». Indi diceva cose del tutto prive di senso, tanto che non si poteva capire niente; si poteva solo vedere che parole e pensieri disordinati ruotavano solo ed unicamente intorno al cappotto. Alla fine, il povero Akakij Akakievič esalò l'anima. Né la stanza, né le sue cose vennero sigillate, perché, in primo luogo, non c'erano eredi, e in secondo luogo era rimasta un'eredità molto esigua, e precisamente: un mazzetto di penne d'oca, dieci quinterni di carta bianca protocollo, tre paia di calze, due-tre bottoni, strappati da pantaloni, e la già nota al lettore *vestaglia*. A chi sia andato tutto ciò, lo sa iddio: di ciò, lo confesso, non si è interessato neanche colui che racconta questa storia. Akakij Akakievič venne portato via e seppellito. E Pietroburgo rimase senza Akakij Akakievič, come se non ci fosse nemmeno mai stato. Scomparve e sparì un essere mai difeso da nessuno, che non era stato caro a nessuno, né aveva interessato nessuno, che non aveva mai attirato su di sé neanche l'attenzione di un naturalista, che non tralascia di mettere su di uno spillo una normale mosca e di esaminarla al microscopio; un essere che aveva sopportato mansueto gli scherzi cancellereschi ed era sceso nella tomba senza nessuna impresa straordinaria, ma per il quale, comunque, sebbene poco prima della fine della vita, era balenato un ospite luminoso sotto forma di cappotto, che aveva rianimato per un attimo una povera vita, e al quale poi era piombata addosso un'intollerabile sventura allo stesso modo di come piomba addosso agli zar e ai sovrani del mondo... Alcuni giorni dopo la sua morte, dal dipartimento venne spedito al suo appartamento un usciere, con l'ordine di comparire subito: il superiore, dice, lo desiderava; ma l'usciere dovette tornare a mani vuote, riferendo che Akakij Akakievič non avrebbe più potuto venire, e alla domanda: «perché?» si espresse con le parole: «Ma perché è morto ormai, sono tre giorni che l'hanno seppellito». In questo modo vennero a sapere della morte di Akakij Akakievič al dipartimento, e il giorno dopo al suo posto già c'era un nuovo impiegato, molto più alto di statura e che scriveva le lettere non con una calligrafia altrettanto dritta, ma molto più inclinata e sbilenca.

Ma chi avrebbe potuto immaginare che a questo punto non era ancora tutto a proposito di Akakij Akakievič, che gli era stato destinato di sopravvivere rumorosamente alcuni giorni oltre la propria morte, quasi a ricompensa per una vita mai presa da nessuno in considerazione? Ma fu quello che accadde, e la nostra povera storia assume inaspettatamente un finale fantastico. All'improvviso per Pietroburgo girò voce che al ponte Kalinkin e molto oltre aveva iniziato ad apparire la notte un morto con l'aspetto di un impiegato, che cercava un certo cappotto portatogli via e, col pretesto del cappotto toltogli, strappava da tutte le spalle, senza distinzione di grado e di titolo, ogni tipo di cappotto; foderati di gatto, di castoro, di ovatta, pellicce di procione, di volpe, di orso – in una parola, ogni tipo di pellicce e pelli, che solo la gente ha inventato per coprirsi. Uno degli impiegati del dipartimento vide coi suoi occhi il morto e in esso riconobbe all'istante Akakij Akakievič; ma ciò, tuttavia, gli fece una tale paura, che se la diede a gambe levate e perciò non poté osservare per bene, ma vide solo che quello da lontano lo minacciava con un dito. Da tutti i lati arrivavano senza sosta lamentele, che le spalle e le schiene, e fossero state almeno solo quelle dei titolari, ma invece perfino quelle dei consiglieri segreti, erano sottoposte a un totale raffreddamento a causa del notturno scippo di cappotti. Alla polizia fu emesso l'ordine di acciuffare il morto ad ogni costo, vivo o morto, e punirlo, perché servisse da esempio agli altri, nel modo più atroce, e mancò poco che non ci riuscissero perfino. Precisamente, la guardia di un certo crocevia nel vicolo Kirjuškin aveva già completamente afferrato il morto per il colletto proprio in flagrante delitto, mentre cercava di strappare un cappotto di panno di Frisia a un musicista in ritiro, che aveva suonato a suo tempo il flauto. Afferratolo per il colletto, chiamò con un grido altri due compagni ai quali ordinò di tenerlo, mentre lui si ficcò solo per un minuto la mano in uno stivale, per tirarne fuori una tabacchiera col tabacco, in modo da rinfrescare per un certo periodo di tempo il proprio naso che già sei volte nella vita si era gelato; ma il tabacco, senza dubbio, era di una tale qualità che nemmeno un morto poté sopportarla. La guardia non fece in tempo, dopo aver chiuso con un dito la sua narice destra, a dare una tirata con la sinistra di un'abbondante presa, che il morto starnutì in modo così violento da inondare totalmente gli occhi di tutti e tre. Il tempo che essi alzassero i pugni per strofinarli, del morto si perse ogni traccia, cosicché essi non sapevano nemmeno se l'avevano avuto davvero tra le mani. Da allora le guardie ebbero una tale paura dei morti, che temevano perfino di acchiappare anche i vivi, e solo da lontano gridavano: «Ehi, tu, vattene per la tua strada!», e il morto-impiegato iniziò ad apparire perfino oltre il ponte Kalinkin, facendo non poca paura a tutte le persone timorose. Ma noi, tuttavia, abbiamo completamente abbandonato *quel personaggio importante*, che, in effetti, fu forse la causa della direzione fantastica presa da una storia del resto assolutamente vera. Prima di tutto il dovere di giustizia rende necessario dire che *il personaggio importante* subito dopo che il povero Akakij Akakievič, ridotto in cenere, fu uscito, provò qualcosa di simile alla pietà. La compassione non gli era estranea; al suo cuore erano accessibili molti positivi moti, nonostante il grado molto spesso impedisse loro di rivelarsi. Non appena fu uscito dal suo gabinetto l'amico di passaggio, iniziò perfino a pensare al povero Akakij Akakievič. E da allora quasi ogni giorno gli appariva, pallido, Akakij Akakievič, che non aveva sopportato una strigliata ufficiale. Il pensiero di lui lo inquietava ad un livello tale, che una settimana dopo si decise perfino a mandargli un impiegato per sapere cosa facesse e come stesse e se non fosse possibile in effetti aiutarlo in qualche modo; e quando gli riferirono che Akakij Akakievič era morto repentinamente per una febbre, rimase perfino colpito, sentì dei rimorsi di coscienza e per tutto il giorno fu fuori di sé. Desiderando distrarsi un po' e dimenticare la spiacevole impressione, si diresse ad una serata da uno dei suoi amici, dal quale trovò una discreta compagnia, e cosa meglio di tutte - tutti quelli che erano lì avevano lo stesso identico grado, cosicché egli non poté essere vincolato assolutamente da niente. Ciò ebbe uno straordinario influsso sulla sua disposizione d'animo. Diede il meglio di sé, divenne piacevole in conversazione, amabile - in una parola, passò la serata in modo molto piacevole. A cena bevve un paio di coppe di champagne - un mezzo, come è noto, che agisce mica male in ciò che concerne l'allegria. Lo champagne lo rese incline a diverse cose straordinarie, e cioè: decise di non andare subito a casa, ma di passare da una dama di sua conoscenza, Karolina Ivanovna, dama, sembra, di origine tedesca, verso la quale egli provava dei sentimenti del tutto amichevoli. Bisogna dire che il personaggio importante era un uomo ormai non più giovane, buon marito, rispettabile padre di famiglia. Due figli, uno dei quali prestava già servizio nella cancelleria, e una graziosa figlia di sedici anni, con un nasetto un po' all'insù ma carino, venivano ogni giorno a baciargli la mano, dicendo: «bonjour, papa». La sua consorte, una donna ancora fresca e perfino niente affatto male, gli dava prima da baciare la sua mano e poi, dopo averla rovesciata dall'altra parte, baciava la mano di lui. Ma il personaggio importante, completamente contento, del resto, delle tenerezze familiari casalinghe, trovava conveniente avere per rapporti amichevoli un'amica dall'altra parte della città. Quest'amica non era niente affatto meglio o più giovane di sua moglie; ma al mondo ce ne sono di simili indovinelli, e giudicarli non è affar nostro. E così, il personaggio importante scese le scale, salì in slitta e disse al cocchiere: «Da

Karolina Ivanovna», e poi, avviluppatosi molto sfarzosamente nel caldo cappotto, rimase in quella piacevole situazione (un russo non può immaginarne una migliore) in cui cioè non pensi a nulla, ma intanto i pensieri penetrano da soli nella testa, uno più piacevole dell'altro, senza dare neanche la fatica di corrergli dietro e cercarli. Pieno di soddisfazione, ricordava di sfuggita tutti i momenti allegri della passata serata, tutte le parole che avevano fatto ridere la piccola cerchia; molte di esse se le ripeteva perfino, sottovoce, e trovava fossero altrettanto buffe come prima, e perciò non c'è da stupirsi che egli stesso ne ridesse di cuore. Di tanto in tanto, tuttavia, lo disturbava un vento impetuoso che, alzatosi all'improvviso dio sa da dove e chissà per quale motivo, non faceva che tagliargli la faccia, buttandogli addosso pezzetti di neve, gonfiando, come una vela, il colletto del cappotto o gettandoglielo all'improvviso con forza innaturale sulla testa e procurandogli, in tal modo, continui fastidi per riemergerne. All'improvviso il personaggio importante sentì che qualcuno lo afferrava molto saldamente per il colletto. Voltatosi, notò una persona di taglia piccola, con una vecchia divisa logora, e non senza orrore riconobbe in essa Akakij Akakievič. Il viso dell'impiegato era pallido come la neve, e sembrava un vero morto. Ma l'orrore del personaggio importante superò ogni limite quando vide che la bocca del morto si storse e, avendo soffiato su di lui un terribile odore di tomba, pronunciò queste parole: «Ah! eccoti finalmente! finalmente ti ho... be'... preso per il colletto! mi serviva proprio il tuo cappotto! non ti sei dato da fare per il mio, e in più mi hai dato una strigliata – ora dammi qui il tuo!». Il povero *personaggio importante* fu lì lì per morire. Per quanto avesse carattere in cancelleria e in generale davanti agli inferiori, e sebbene, dopo aver dato un'occhiata al suo aspetto virile e alla sua prestante figura, ognuno dicesse: «Uh! che carattere!», qui però egli, similmente a molti che hanno un'apparenza eroica, provò una tale paura, che non senza ragione iniziò perfino a temere a proposito di un attacco. Fu addirittura lui stesso a togliersi alla svelta dalle spalle il cappotto, dopodiché iniziò a gridare al cocchiere con una voce non sua: «Vai di volata a casa!». Il cocchiere, sentita la voce che veniva utilizzata in generale nei momenti decisivi e si accompagnava perfino con qualcosa di molto più concreto, nascose per ogni evenienza la testa nelle spalle, agitò la frusta e partì come una freccia. In circa sei minuti e rotti il personaggio importante era già davanti all'ingresso di casa sua. Pallido, spaventato e senza cappotto, invece di andare da Karolina Ivanovna, arrivò a casa, si trascinò a stento in qualche modo fino alla sua camera e passò la notte nella più grande agitazione, cosicché la mattina del giorno dopo all'ora del tè la figlia gli disse chiaro e tondo: «Oggi sei davvero pallido, papà». Ma il papà taceva e non disse una parola a nessuno su quello che gli era successo, e dove era stato, e dove voleva andare. Questo avvenimento gli fece una forte impressione. Iniziò perfino a dire molto più raramente ai sottoposti: «Come osate, avete idea di chi avete davanti?»; e seppure lo diceva, non era prima di aver ascoltato in precedenza di cosa si trattava. Ma il fatto ancora più notevole fu che da allora le apparizioni dell'impiegato-morto diminuirono decisamente: il cappotto del generale gli doveva essere andato davvero a pennello; almeno non si sentirono più da nessuna parte casi in cui avevano strappato a qualcuno il cappotto. Del resto, molte persone attive e zelanti non vollero mai mettersi l'animo in pace e dicevano che nelle parti più remote della città continuava ad apparire l'impiegato-morto. E infatti una guardia di Kolomna vide con i propri occhi un fantasma apparire da dietro una casa; ma, essendo per sua natura piuttosto debole, tanto che una volta un normale porcellino adulto che si era slanciato fuori da una certa casa privata, lo aveva mandato gambe all'aria, con il più grande divertimento dei vetturini in piedi intorno, dai quali egli esigette per un simile dileggio un soldo a testa per il tabacco – cosicché, essendo debole, non osò fermarlo, ma gli andò dietro nell'oscurità fintanto che, finalmente, il fantasma all'improvviso si voltò indietro e, fermandosi, chiese: «Che vuoi?», e mostrò un tale pugno come non se ne possono trovare nei vivi. La guardia disse: «Niente», e in più tornò subito indietro. Il fantasma, tuttavia, era ormai molto più alto di statura, portava degli enormi baffi e, indirizzati i passi a quanto pare verso il ponte Obuchov, scomparve completamente nell'oscurità notturna.

IL NASO

I.

Il 25 marzo avvenne a Pietroburgo un fatto insolitamente strano. Il barbiere Ivan Jakovlevič, domiciliato sul Voznesenskij prospekt (il suo cognome è andato perso, e perfino sulla sua insegna – dove è raffigurato un tale con una guancia insaponata e la scritta: «Si fanno anche salassi» – non è esposto niente di più), il barbiere Ivan Jakovlevič si svegliò abbastanza presto e sentì odore di pane caldo. Sollevatosi leggermente sul letto, vide che la sua consorte, dama assai rispettabile, molto amante del caffè, sfornava dei pani appena cotti.

«Oggi, Praskov'ja Osipovna, non prenderò caffè», disse Ivan Jakovlevič, «e invece vorrei mangiare un panino caldo con la cipolla.»

(Cioè, Ivan Jakovlevič avrebbe voluto e l'uno e l'altro, ma sapeva che era assolutamente impossibile chiedere due cose alla volta: poiché Praskov'ja Osipovna non amava molto tali capricci.) «Mangi pure il pane, quell'idiota; meglio per me», pensò tra sé la consorte, «resterà una porzione in più di caffè.» E gettò un panino sul tavolo.

Ivan Jakovlevič infilò per decenza il frac sulla camicia e, sedutosi a tavola, mise il sale, preparò due cipolline, prese in mano il coltello e, assunta un'espressione importante, cominciò a tagliare il pane. Dopo averlo tagliato a metà, diede un'occhiata nel mezzo e, con suo grande stupore, vide qualcosa che biancheggiava. Ivan Jakovlevič la stuzzicò cautamente col coltello e la tastò

col dito. «Solido?», disse tra sé, «che diavolo può essere?»
Egli ficcò le dita e tirò fuori - un naso!... A Ivan Jakovlevič caddero le braccia; cominciò a strofinarsi gli occhi e a tastare: un naso, esatto, un naso! e gli sembrava perfino che fosse uno di sua conoscenza. L'orrore si dipinse sul volto di Ivan Jakovlevič. Ma questo orrore era niente in confronto all'indignazione che si impadronì della sua consorte.

«Dove hai tagliato quel naso, animale?», si mise a gridare con ira. «Imbroglione! ubriacone! Io stessa ti denuncerò alla polizia. Brigante che non sei altro! Ho già sentito da tre persone che, mentre radi, molesti tanto i nasi che a stento si reggono.»

Ma Ivan Jakovlevič era più morto che vivo. Aveva riconosciuto che quel naso non era di nessun altro se non dell'assessore collegiale Kovalëv, che egli radeva ogni mercoledì e domenica.

«Ferma, Praskov'ja Osipovna! Lo metterò, avvolto in uno straccio, in un angoletto: che stia lì per un pochino; e poi lo porterò via.»

«Non voglio nemmeno sentirlo! Che io permetta a un naso tagliato di stare nella mia stanza?... Pane abbrustolito! Non sa far altro che passare avanti e indietro il rasoio sulla cinghia, ma presto non sarà più in grado di fare il suo dovere, vagabondo, mascalzone! Che io debba rispondere per te alla polizia?... Ah, sei un sudicione, un idiota salame! Portalo via! via! portalo dove vuoi! che non ne senta più parlare!»

Ivan Jakovlevič se ne stava assolutamente come morto. Pensava, pensava - e non sapeva che pensare.

«Lo sa il diavolo come è successo», disse alla fine, grattandosi con una mano dietro l'orecchio. «Se ieri sono tornato ubriaco o no, non posso proprio dirlo. Ma, a giudicare da tutti gli indizi, deve essere un fatto impossibile: poiché il pane è una cosa cotta, e un naso certo no. Non riesco a capirci niente!...»

Ivan Jakovlevič tacque. Il pensiero che i poliziotti scovassero da lui il naso e lo incolpassero lo portò ad un totale smarrimento. Già gli sembrava di vedere un colletto scarlatto, ben ricamato in argento, una spada... e tremava tutto. Alla fine prese la sua biancheria e gli stivali, si tirò su tutto quel ciarpame e, accompagnato dalle pesanti esortazioni di Praskov'ja Osipovna, avvolse il naso in uno straccio e uscì in strada.

Voleva metterlo, senza farsi scorgere, da qualche parte: o in una colonnina vicino ad un portone, oppure lasciarlo cadere così, come inavvertitamente, e poi svoltare in un vicolo. Ma, per sua sfortuna, si imbatteva in qualche conoscente, che iniziava subito con la domanda: «Dove vai?» o: «Chi ti prepari a radere così presto?» – cosicché Ivan Jakovlevič non poteva mai cogliere il momento buono. Un'altra volta era già riuscito a farlo cadere, ma una guardia, ancora da lontano, glielo mostrò con l'alabarda, aggiungendo: «Raccogli! hai lasciato cadere qualcosa!». E Ivan Jakovlevič dovette tirar su il naso e cacciarlo in tasca. La disperazione si impadronì di lui, tanto più che la gente si moltiplicava incessantemente per la strada, man mano che iniziavano ad aprirsi negozi e bottegucce.

Decise di andare al ponte Isakievskij: sarebbe riuscito in qualche modo a buttarlo nella Neva?... Ma sono un po' colpevole per non avervi ancora detto niente di Ivan Jakovlevič, persona rispettabile sotto molti aspetti.

Ivan Jakovlevič, come ogni onesto artigiano russo, era un terribile ubriacone. E sebbene ogni giorno radesse i menti altrui, il suo proprio era eternamente non rasato. Il frac di Ivan Jakovlevič (Ivan Jakovlevič non girava mai in giacca) era chiazzato, cioè era nero, ma tutto pieno di chiazze giallo-brune e grigie; il colletto era lucido, e invece dei tre bottoni pendevano solo i fili. Ivan Jakovlevič era un gran cinico, e quando l'assessore collegiale Kovalëv gli diceva, come al solito, mentre lo radeva: «A te, Ivan Jakovlevič, puzzano sempre le mani!», allora Ivan Jakovlevič replicava con la domanda: «E di cosa dovrebbero puzzare?» – «Non so, fratello, ma puzzano», diceva l'assessore collegiale – e Ivan Jakovlevič, dopo aver fiutato del tabacco, lo insaponava per ripicca e sulle guance, e sotto il naso, e dietro le orecchie, e sotto il mento –, in una parola, dove solo ne avesse voglia.

Questo rispettabile cittadino si trovava già sul ponte Isakievskij. Prima di tutto si guardò intorno; poi si piegò sulla ringhiera, come per guardare se sotto il ponte corresse molto pesce, e buttò giù piano piano lo straccio col naso. Si sentì come se in una volta si fosse liberato di 10 *pudy*[1]; Ivan Jakovlevič sorrise perfino. Invece di andare a radere i menti degli impiegati, si diresse verso un locale con l'insegna: «Tè e pasticcini» per chiedere un bicchiere di ponche, quando improvvisamente notò all'estremità del ponte il sorvegliante di quartiere, dall'apparenza nobile, con delle larghe basette, con il tricorno e la spada. Egli si sentì gelare il sangue nelle vene; e intanto il sorvegliante gli faceva cenno col dito e diceva: «Vieni qui, caro!».

Ivan Jakovlevič, che conosceva l'etichetta, si tolse ancora da lontano il berretto e, avvicinatosi lestamente, disse: «Auguro salute a vostra eccellenza!».

«No, no, fratello, niente eccellenza; dimmi un po', che ci facevi là, sul ponte?»

«Perdio, signore, stavo andando a radere, e ho solo guardato se il fiume scorreva velocemente.»

«Menti, menti! Con questo non te la caverai. Degnati un po' di rispondere!»

«Sono pronto a radere vostra grazia due volte a settimana, e perfino tre, senza alcuna opposizione», rispose Ivan Jakovlevič.

«No, amico, queste sono sciocchezze! Tre barbieri mi radono, e per di più lo ritengono un grande onore. E ora degnati un po' di raccontarmi, che ci facevi là?»

Ivan Jakovlevič impallidì... Ma qui l'avvenimento si copre totalmente di nebbia, e ciò che accadde in seguito, lo si ignora decisamente.

[1] Pl. di *pud*, antica misura di peso russa pari a kg. 16,38 (*N.d.T.*).

II.

L'assessore collegiale Kovalëv si svegliò piuttosto presto e fece: «brr...» con le labbra, cosa che faceva sempre quando si svegliava, sebbene lui stesso non potesse spiegare per quale motivo. Kovalëv si stiracchiò, ordinò che gli portassero lo specchietto che stava sul tavolo. Voleva dare un'occhiata a un foruncolo che la sera prima gli era spuntato sul naso; ma, con il più grande stupore, si accorse di avere al posto del naso una superficie del tutto liscia! Spaventato, Kovalëv ordinò che gli portassero dell'acqua e si strofinò gli occhi con un asciugamano: esattamente, il naso non c'era! Egli iniziò a tastarsi con la mano, per sapere se dormiva o no, ma sembrava non dormisse. L'assessore collegiale Kovalëv balzò dal letto, sussultò: il naso non c'era!... Ordinò subito che gli portassero da vestirsi e volò direttamente dal commissario-capo della polizia.

Ma intanto è necessario dire qualcosa di Kovalëv, perché il lettore possa vedere di che genere era questo assessore collegiale. Non si devono mai paragonare gli assessori collegiali che ricevono questo titolo mediante attestati di studio con quegli assessori collegiali che lo diventano nel Caucaso. Sono due specie completamente distinte. Gli assessori collegiali istruiti... Ma la Russia è una terra così strana, che, se dici una parola su un assessore collegiale, allora tutti gli assessori collegiali, da Riga alla Kamčatka, immancabilmente la prendono come se fosse riferita a loro personalmente. Lo stesso dicasi per tutti gli altri titoli e gradi. Kovalëv era un assessore collegiale caucasico. Egli aveva questo titolo solo da due anni e perciò non poteva scordarlo neanche per un minuto; e per darsi maggiore nobiltà e importanza, non si definiva mai assessore collegiale, ma sempre maggiore. «Senti, piccioncina», diceva di solito incontrando per la strada una donnetta che vendeva sparati, «vieni a casa mia; il mio appartamento è sulla Sadovaja; chiedi solo dove vive il maggiore Kovalëv, chiunque te lo indicherà». Se invece ne incontrava una bellina, allora le dava, oltre a ciò, un'istruzione segreta, aggiungendo: «Chiedi, anima mia, dell'appartamento del maggiore Kovalëv». Proprio per questo anche noi d'ora in avanti chiameremo questo assessore collegiale maggiore.

Il maggiore Kovalëv aveva l'abitudine di fare su e giù ogni giorno per il Nevskij prospekt. Il collettino del suo sparato era sempre straordinariamente pulito e inamidato. Aveva certe basette come adesso si possono ancora vedere negli agrimensori di provincia e di distretto, negli architetti e nei medici di reggimento, e anche in coloro che adempiono alle diverse funzioni di polizia e, in generale, in tutti quegli uomini che hanno le guance piene e rubiconde e giocano molto bene a *boston*: queste basette attraversano metà della guancia e arrivano dritte dritte al naso. Il maggiore Kovalëv portava una quantità di ciondoli-sigilli, di corniola, e con stemmi, e del tipo su cui sono incisi: mercoledì, giovedì, lunedì, ecc. Il maggiore Kovalëv era arrivato a Pietroburgo per affari, e precisamente per trovare un posto adeguato al suo titolo: se possibile di vice-governatore, altrimenti – di esecutore in qualche ragguardevole dipartimento. Il maggiore Kovalëv non era contrario nemmeno a sposarsi, ma solo nel caso in cui gli fosse capitata una fidanzata con duecentomila rubli di capitale. E perciò il lettore ora può giudicare da solo quale fu lo stato d'animo di questo maggiore quando vide, al posto di un naso abbastanza ben fatto e discreto, una stupidissima superficie liscia e piatta.

Quasi a farlo apposta, in strada non si vedeva un solo vetturino, ed egli dovette andare a piedi, avvolto nel suo mantello e coprendosi col fazzoletto il viso, facendo finta che gli uscisse il sangue dal naso. «Ma magari me lo sono figurato: non può essere che un naso sia sparito per balordaggine», pensò e passò apposta in pasticceria per guardarsi in uno specchio. Per fortuna nella pasticceria non c'era nessuno: i garzoni spazzavano le sale e disponevano le sedie; alcuni, con gli occhi assonnati, portavano fuori vassoi con pasticcini caldi; sui tavoli e sulle sedie giacevano in disordine giornali del giorno prima macchiati di caffè. «Be', grazie a Dio non c'è nessuno», disse, «ora si può dare un'occhiata.» Si avvicinò timidamente allo specchio e dette un'occhiata. «Lo sa il diavolo che porcheria è!», disse dopo aver sputato... «Almeno ci fosse qualcosa, al posto del naso, ma invece niente!...»

Mordendosi le labbra con dispetto, uscì dalla pasticceria e si decise, contrariamente alle sue abitudini, a non guardare in faccia nessuno e a non sorridere a nessuno. Improvvisamente si bloccò come impalato accanto al portone di una casa; sotto i suoi occhi si verificò un fatto inspiegabile: davanti all'entrata si fermò una carrozza; gli sportelli si aprirono; saltò giù, curvandosi, un signore in uniforme e corse su per le scale. Quale fu l'orrore e insieme lo stupore di Kovalëv quando riconobbe che quello era il suo proprio naso! A questo insolito spettacolo, gli sembrò che tutto gli si rivoltasse negli occhi; sentì che a stento si reggeva in piedi; ma si decise ad aspettare ad ogni costo il ritorno di quello alla carrozza, tremando tutto come se avesse la febbre. Dopo due minuti, il naso, effettivamente, uscì. Aveva un'uniforme, ricamata in oro, con un colletto altissimo; portava dei pantaloni di pelle di camoscio; al fianco una spada. Dal cappello con le piume si poteva concludere che passasse per consigliere di Stato. Da tutto si vedeva che andava da qualche parte in visita. Diede un'occhiata dai due lati, gridò al cocchiere: «Dài!», salì e partì.

Il povero Kovalëv ci mancò poco che impazzisse. Non sapeva cosa pensare di un fatto così strano. Come era possibile, infatti, che un naso, il quale ancora ieri era sulla sua faccia e non poteva andare in carrozza né passeggiare, avesse un'uniforme? Egli corse dietro alla carrozza, che, per fortuna, non andò lontano e si fermò davanti al Duomo della Madonna di Kazan'.

Egli si affrettò verso il Duomo, si fece strada attraverso una fila di vecchie mendicanti con i visi fasciati e due aperture per gli occhi, delle quali prima rideva molto, ed entrò in chiesa. Di gente che pregava, all'interno della chiesa, non ce n'era molta; stavano tutti in piedi solo vicino all'entrata. Kovalëv si sentiva in un tale stato di sconforto, che non era assolutamente in grado di pregare, e cercava con gli occhi quel signore in ogni angolo. Alla fine, lo vide in piedi da un lato. Il naso celava completamente il viso nell'altissimo colletto e, con l'espressione della più grande devozione, pregava.

«Come avvicinarlo?», pensava Kovalëv. «Da tutto, dall'uniforme, dal cappello, è evidente che è un consigliere di Stato. Lo sa il diavolo come fare!»

Iniziò a tossicchiare accanto a lui; ma il naso non abbandonava nemmeno per un momento la sua devota posizione e si inchinava profondamente.

«Egregio signore...», disse Kovalëv, sforzandosi in cuor suo di riprendere coraggio, «egregio signore...»

«Cosa desiderate?», rispose il naso, girandosi.

«Mi pare strano, egregio signore... mi sembra... voi dovreste conoscere il vostro posto. E all'improvviso vi trovo, e dove? - in chiesa. Convenite...»

«Scusatemi, non arrivo a capire di cosa vogliate parlare... Spiegatevi.»

«Come spiegarglielo?» - pensò Kovalëv e, fattosi coraggio, iniziò:

«Naturalmente io... del resto, sono maggiore. Andare in giro senza naso, convenitene, è sconveniente. Una fruttivendola qualsiasi, che vende arance sbucciate sul ponte Voskresenskij, può stare senza naso; ma, avendo in vista di ottenere,... inoltre essendo in molte case conoscente di signore: la Čechtarëva, consigliera di Stato, e altre... Giudicate voi stesso... io non so, egregio signore... (Nel dir questo il maggiore Kovalëv si strinse nelle spalle.)... Scusate... se si guarda la cosa secondo le regole del dovere e dell'onore... voi stesso potete capire...».

«Non capisco decisamente nulla», rispose il naso. «Spiegatevi in modo più soddisfacente.»

«Egregio signore...», disse Kovalëv con il sentimento della propria dignità, «non so come intendere le vostre parole... Qui mi sembra che tutto l'affare sia perfettamente evidente... O volete... Eppure siete il mio proprio naso!»

Il naso guardò il maggiore e i suoi sopraccigli si aggrottarono alquanto.

«Vi sbagliate, egregio signore. Io sono per mio conto. Inoltre tra noi non può esserci nessuna stretta relazione. Giudicando dai bottoni della vostra uniforme, dovete prestare servizio al Senato o, almeno, nella giustizia. Io, invece, sono nel settore dell'istruzione.» Detto ciò, il naso si voltò e continuò a pregare.

Kovalëv si confuse completamente, non sapendo che fare e neanche che pensare. In quel momento si udì il piacevole fruscìo di un vestito femminile: si avvicinò un'anziana signora, tutta adorna di merletti, e con lei una esilina, con un vestito bianco, molto graziosamente disegnato sulla sua vita ben fatta, e un cappellino di paglia, leggero come un pasticcino. Dietro di loro si fermò e aprì la tabacchiera un alto aiduco con grandi basette e un'intera dozzina di colletti.

Kovalëv si avvicinò ulteriormente, tirò fuori il collettino di batista dello sparato, si aggiustò i ciondoli appesi ad una catenella d'oro e, sorridendo a destra e a manca, rivolse l'attenzione alla delicata dama, che, come un fiorellino di primavera, si piegava leggermente e portava alla fronte la sua candida manina dalle semidiafane dita. Il sorriso sul viso di Kovalëv si aprì ancora di più quando vide, sotto il cappellino, il rotondetto e candido mento di lei e parte della guancia, illuminata dal colore della prima rosa di primavera. Ma all'improvviso si ritirò con un salto, come se si fosse scottato. Si era ricordato di non avere assolutamente nulla al posto del naso, e dai suoi occhi sgorgarono le lacrime. Egli si voltò per dire in faccia al signore in uniforme che si fingeva solo consigliere di Stato, che era un truffatore e una canaglia e non era nient'altro se non solo il suo proprio naso... Ma il naso non c'era già più: aveva fatto in tempo a filarsela, presumibilmente di nuovo in visita da qualcuno.

Ciò sprofondò Kovalëv nella disperazione. Egli tornò indietro e si fermò per un momento sotto il colonnato, guardando scrupolosamente da ogni lato se non gli cadesse sott'occhio dov'era il naso. Si ricordava molto bene che aveva un cappello con le piume e un'uniforme con il ricamo in oro; ma non aveva notato il cappotto, né il colore della sua carrozza, né i cavalli e neppure se avesse dietro qualche servitore e in quale livrea. Inoltre di carrozze ne passavano, avanti e indietro, talmente tante e con una tale velocità, che era perfino difficile distinguerle; ma, se anche ne avesse riconosciuta una tra quelle, non avrebbe avuto nessun mezzo per fermarla. Era una splendida giornata di sole. Sul Nevskij prospekt c'era un mare di gente; un'intera cascata floreale di dame si spandeva per tutto il marciapiede, iniziando dal ponte Policejskij fino a quello Aničkin. Ecco venire anche un consigliere di Corte suo conoscente, che egli chiamava tenente-colonnello, specialmente se ciò accadeva in presenza di estranei. Ecco anche Jaryžkin, capo-sezione al Senato, grande amico, che perdeva in eterno a *boston*, quando giocava l'otto. Ecco anche un altro maggiore che aveva ricevuto l'assessorato nel Caucaso: gli fa cenno con la mano perché vada da lui...

«Ah, che il diavolo se lo porti!», disse Kovalëv. «Ehi, vetturino, portami dritto dal commissario-capo della polizia!»

Kovalëv salì in carrozzella e non faceva che gridare al vetturino: «A tutta forza!».

«È in casa il commissario-capo della polizia?», gridò, entrando nell'andito.

«Signornò», rispose il portiere, «è appena uscito.»

«Ma guarda un po'!»

«Sì», aggiunse il portiere, «non è neanche molto, ma è uscito. Se foste arrivato un minutino prima, allora, forse, lo avreste trovato a casa.»

Kovalëv, senza togliersi il fazzoletto dal viso, salì in carrozza e gridò con voce disperata:

«Vai!».

«Dove?», disse il vetturino.

«Vai dritto!»

«Come dritto? Qui c'è una svolta: a destra o a sinistra?»

Questa domanda fermò Kovalëv e lo obbligò di nuovo a pensare. Nella sua situazione gli conveniva prima di tutto rivolgersi al Dipartimento del decoro, non perché avesse diretta relazione con la polizia, ma perché le sue disposizioni potevano essere molto più veloci che in altri posti; cercare infatti soddisfazioni presso i superiori di quel posto, presso il quale il naso si era dichiarato impiegato, sarebbe stato insensato, perché dalle stesse risposte del naso si era potuto già vedere che per quell'uomo non c'era niente di sacro, ed egli poteva allo stesso modo mentire anche in quel caso, come aveva mentito, assicurando di non essersi mai incontrato con lui. Cosicché Kovalëv già stava per ordinare di andare al Dipartimento del decoro, quando di nuovo gli venne il pensiero che quell'imbroglione e truffatore, il quale aveva agito fin dal primo incontro in modo così impudente, poteva di nuovo, approfittando comodamente del tempo, in qualche modo filarsela dalla città – e allora tutte le ricerche sarebbero state inutili o avrebbero potuto prolungarsi, dio ne scampi e liberi, per un intero mese. Alla fine, parve che lo stesso cielo lo convincesse. Egli decise di rivolgersi direttamente all'ufficio inserzioni di un giornale e di fare per tempo un annuncio con una descrizione dettagliata di tutte le caratteristiche, affinché chiunque, incontrandolo, potesse riportarglielo all'istante o, almeno, dare notizie sul luogo in cui si trovava. Cosicché egli, presa questa decisione, ordinò al vetturino di andare all'ufficio inserzioni di un giornale e, per tutta la strada, non smise di tempestarlo di pugni sulla schiena, ripetendo:

«Più presto, mascalzone! più presto, farabutto!» – «Eh, signore!», diceva il vetturino, scuotendo la testa e frustando con le redini il suo cavallo, il cui pelo era lungo come quello di un cane maltese. La carrozzella, alla fine, si fermò, e Kovalëv, ansante, corse dentro una piccola anticamera, dove un impiegato canuto, con un vecchio frac e gli occhiali, sedeva a un tavolo e, tenendo tra i denti una penna, contava le monete di rame che gli avevano portato.

«Chi riceve qui gli annunci?», urlò Kovalëv. «Ah, salve!»

«I miei ossequi», disse l'impiegato canuto, alzando per un attimo gli occhi e abbassandoli di nuovo sui mucchi ripartiti di soldi.

«Vorrei pubblicare...»

«Permettete. Vi prego di pazientare un secondo», disse l'impiegato, mettendo con una mano una cifra sulla carta e spostando con le dita della mano sinistra due palline sul pallottoliere.

Un domestico, con i galloni e con un aspetto che mostrava la sua appartenenza ad una casa aristocratica, stava in piedi accanto al tavolo, con un biglietto in mano, e ritenne opportuno mostrare la propria socievolezza: «Credete, signore, che il cagnolino non vale otto *grivny*[2], cioè io non darei per lui nemmeno otto *groši*[3]; ma la contessa lo ama, perdio se lo ama – ed ecco cento rubli per chi lo trova! Detto in coscienza, ecco, come è vero che ora siamo insieme, i gusti delle persone non sono affatto simili: quando poi uno è cacciatore, allora tiene un cane da punta o un barbone; non rimpiange cinquecento rubli, ne dà mille, purché poi sia un buon cane».

Il rispettabile impiegato ascoltava tutto ciò con un'espressione significativa e nello stesso tempo si occupava di calcolare preventivamente quante fossero le parole nel biglietto che gli era stato portato. Tutto intorno c'era una moltitudine di vecchie, di commessi di mercanti e di

[2] Pl. di *grivna*, antica moneta russa da 10 copeche (*N.d.T.*).
[3] Pl. di *groš*, antica moneta russa da mezza copeca (*N.d.T.*).

portieri con biglietti. In uno si diceva che si offriva in servizio un cocchiere di morigerata condotta; in un altro – un calesse poco usato, importato nel 1814 da Parigi; là si offriva una domestica di diciannove anni, addestrata nei bucati, capace anche in altri lavori; una robusta carrozzella senza una molla; un giovane ardente cavallo grigio pezzato, di diciassette anni; nuove sementi di rape e di ravanelli ricevute da Londra; una dača con tutte le comodità: due stallaggi per i cavalli e un posto in cui si può coltivare un eccellente parco di betulle o di abeti; là, invece, c'era un'offerta per chi desiderava comprare suole vecchie, con l'invito a presentarsi al rivenditore ogni giorno dalle otto alle tre del mattino. La stanza in cui si trovava tutto questo assembramento era piccola e vi era un'aria straordinariamente pesante; ma l'assessore collegiale Kovalëv non poteva sentire l'odore, perché si era coperto col fazzoletto e perché il suo naso stava dio sa in che luoghi.

«Egregio signore, permettete che vi chieda... Ho una grande necessità», disse, alla fine, con impazienza.

«Ora, ora! Due rubli e quarantatré copeche! Subito! Un rublo e sessantaquattro copeche!», diceva il signore dai capelli canuti, gettando in faccia alle vecchie e ai portieri i biglietti. «Voi cosa desiderate?», disse alla fine rivolgendosi a Kovalëv.

«Io chiedo...», disse Kovalëv, «è successo un imbroglio, ovvero una bricconeria, fino ad ora non sono riuscito a saperlo in nessun modo. Chiedo solo di pubblicare che colui che mi riporterà quella canaglia avrà un adeguato compenso.»

«Permettete che io sappia come vi chiamate?»

«No, a che serve sapere come mi chiamo? Non posso dirlo. Ho molti conoscenti: la Čechtarëva, consigliera di Stato, Palageja Grigor'evna Podtočina, ufficialessa di stato maggiore... Se improvvisamente lo venissero a sapere, Dio ci salvi! Potete semplicemente scrivere: un assessore collegiale, o, ancora meglio, un individuo con il grado di maggiore.»

«E quello che è scappato era un vostro servitore?»

«Come servitore? Questo non sarebbe nemmeno un così grande imbroglio! Mi è scappato... il naso...»

«Hm! Che strano nome! E questo signor Nasov vi ha derubato di una forte somma?»

«Naso, cioè... non avete capito! Il naso, il mio proprio naso è sparito non si sa dove. Il diavolo ha voluto prendersi gioco di me!»

«Ma in che modo è sparito? C'è qualcosa che non riesco a capire bene.»

«Ma non vi posso dire in che modo; l'importante, però, è che ora se ne va in giro per la città e si dice consigliere di Stato. E perciò io vi chiedo di pubblicare che chi lo acchiappa me lo riporti subito nel più breve tempo possibile. Giudicate voi, infatti, come posso stare senza una parte del corpo così evidente? Non è la stessa cosa di un qualsiasi dito mignolo del piede, che ho in uno stivale – e nessuno lo vedrebbe se non ci fosse. Ogni giovedì io sono dalla consigliera di Stato Čechtarëva; Podtočina Palageja Grigor'evna, ufficialessa di stato maggiore, e ha una figlia molto carina, anche loro sono buone conoscenti, e potete giudicare voi stesso, come faccio ora a... Ora non posso presentarmi da loro.»

L'impiegato iniziò a riflettere, cosa che testimoniavano le sua labbra fortemente serrate.

«No, io non posso pubblicare un simile annuncio sui giornali», disse alla fine dopo un lungo silenzio.

«Come? perché?»

«Niente. Il giornale potrebbe perdere la reputazione. Se chiunque si mettesse a scrivere che gli è scappato il naso, allora... Anche così già dicono che si stampano molte assurdità e false voci.»

«Ma in cosa questo fatto è un'assurdità? Mi sembra che non ci sia niente di simile.»

«Sembra così a voi, che non ci sia. Ma già la scorsa settimana è avvenuto un fatto analogo. È venuto un impiegato nello stesso modo in cui voi siete venuto ora, ha portato un biglietto, il conto è arrivato a due rubli e settantatré copeche, e tutto l'annuncio consisteva nel fatto che era scappato un barboncino nero. Che cosa c'era di strano? vi chiederete forse. Ma è saltato fuori che si trattava di una burla: quel barboncino era un cassiere, non ricordo di quale azienda.»

«Eppure io non vi faccio un annuncio su di un barboncino, ma sul mio proprio naso: dunque, quasi come fosse su me stesso.»

«No, in nessun modo io posso pubblicare un simile annuncio.»

«Ma se il naso mi è sparito veramente!»

«Se è sparito, allora è affare di un medico. Dicono che ci sono persone che possono attaccare qualsiasi naso. Ma del resto noto che voi dovete essere una persona di carattere allegro e che amate scherzare in società.»

«Vi giuro, com'è vero Iddio! Ma se ormai siamo arrivati a questo punto, allora magari vi faccio vedere.»

«Perché incomodarsi!», continuò l'impiegato fiutando del tabacco. «Del resto, se non è di incomodo», aggiunse con un moto di curiosità, «allora ci darei un'occhiata con piacere.»

L'assessore collegiale si tolse il fazzoletto dal viso.

«In effetti, è straordinariamente singolare!», disse l'impiegato, «una superficie perfettamente liscia, come se fosse una frittella appena sfornata. Sì, liscia fino all'inverosimile!»

«Be', anche ora avrete da discutere? Vedete voi stesso che non è possibile non pubblicare l'annuncio. Vi sarò particolarmente riconoscente; e sono molto contento che questo caso mi abbia procurato il piacere di conoscervi...» Il maggiore, come si vede da ciò, si era deciso, per quella volta, ad abbassarsi un po'.

«Pubblicarlo, naturalmente, non è gran cosa», disse l'impiegato, «solo io non prevedo in questo nessun vantaggio per voi. Se poi volete, passate la cosa a qualcuno che abbia un'abile penna, che sappia scriverne come di un raro fenomeno della natura e stampi questo articoletto su *L'ape del Nord* (a questo punto egli fiutò ancora una volta del tabacco) per l'utilità della gioventù (a questo punto si soffiò il naso), o così, per la curiosità generale.»

L'assessore collegiale era completamente disperato. Abbassò gli occhi sul fondo di un giornale dove c'era il programma degli spettacoli; già il suo viso era pronto a sorridere, avendo incontrato il nome di un'attrice belloccia, e la mano aveva afferrato la tasca per vedere se vi fosse un assegnato azzurro, perché gli ufficiali di stato maggiore, secondo l'opinione di Kovalëv, dovevano sedere in poltrona, – ma il pensiero del naso sciupò tutto!

Perfino l'impiegato sembrava commosso dalla difficile situazione di Kovalëv. Desiderando mitigare un po' la sua amarezza, egli ritenne opportuno esprimere la sua partecipazione con alcune parole:

«Davvero mi rincresce molto che vi sia successo un tale fatto. Non desiderate per caso fiutare del tabacco? fa passare i dolori di testa e i cattivi umori; fa bene anche riguardo alle emorroidi».

Dicendo questo, l'impiegato porse a Kovalëv la tabacchiera, dopo averne sollevato con una certa abilità il coperchio con il ritratto di una dama con cappellino.

Questo atto avventato fece perdere la pazienza a Kovalëv.

«Io non capisco, come possiate aver voglia di scherzare», disse con rabbia, «forse non vedete che mi manca proprio ciò con cui potrei fiutare? Che il diavolo si porti il vostro tabacco! Ora non posso prenderlo in considerazione, e non solo il vostro cattivo di betulla, ma anche se mi aveste offerto dell'autentico *râpé*.»

Detto ciò, uscì, profondamente indispettito, dall'ufficio inserzioni del giornale e si diresse dal commissario di distretto, uno straordinario ghiottone di zucchero. A casa sua, tutta l'anticamera, e anche la sala da pranzo, era ingombra di dolci, che i mercanti gli portavano in segno di amicizia. La cuoca, in quel momento, stava levando al commissario di distretto gli stivali di servizio; la spada e tutti gli arnesi militari erano già pacificamente appesi agli angoli, e il suo bimbetto di tre anni già si era messo a toccare il minaccioso tricorno; e lui, dopo una vita marziale, guerresca, si preparava ad assaporare i piaceri della pace.

Kovalëv entrò da lui nel momento in cui quello si stiracchiava, grugniva e diceva: «Eh, mi farò un bel pisolino per un paio d'orette!». E perciò si può prevedere che l'arrivo dell'assessore collegiale fosse perfettamente fuori tempo. E non so, seppure gli avesse anche portato in quel momento alcune libbre di tè o del panno, se sarebbe stato accolto troppo cordialmente. Il commissario di distretto era un grande promotore di tutte le arti e industrie, ma preferiva a tutto ciò un assegnato di Stato. «È una cosa», diceva di solito, «che non c'è niente di meglio di questa cosa: non chiede da mangiare, occupa poco posto, in una tasca ci sta sempre, se la lasci cadere - non si rompe.»

Il commissario di distretto accolse molto seccamente Kovalëv e disse che il dopo pranzo non è il momento per aprire un'inchiesta, che la natura stessa ha stabilito che, dopo aver mangiato a sazietà, ci si riposi un po' (da ciò l'assessore collegiale poté vedere che al commissario di distretto non erano ignote le massime degli antichi saggi), che a un uomo onesto non portano via il naso e che al mondo ci sono molti maggiori di ogni genere, i quali non hanno nemmeno la biancheria in stato decente e bighellonano per qualunque tipo di posti indegni.

Cioè, non con giri di parole, ma proprio in faccia! Bisogna notare che Kovalëv era un uomo straordinariamente permaloso. Poteva perdonare tutto ciò che dicevano della sua persona, ma non scusava mai se ciò riguardava il suo grado o titolo. Egli riteneva perfino che nelle pièces teatrali si può far passare tutto ciò che riguarda gli ufficiali subalterni, ma non si devono mai attaccare gli ufficiali di stato maggiore. L'accoglienza del commissario di distretto lo confuse a tal punto, che scosse la testa e disse con senso di dignità, allargando un po' le braccia: «Confesso che, dopo simili oltraggiose osservazioni da parte vostra, non posso aggiungere nulla...» – e uscì.

Arrivò a casa sentendosi a stento le gambe. Era già il crepuscolo. Il suo appartamento gli sembrò triste ovvero straordinariamente ripugnante, dopo tutte quelle sfortunate ricerche. Entrato in anticamera, vide sul sudicio divano di cuoio il suo lacchè Ivan, che, supino, sputava verso il soffitto e colpiva piuttosto felicemente sempre lo stesso identico punto. Una simile indifferenza da parte di quell'uomo lo fece montare su tutte le furie; lo colpì col cappello sulla fronte, dicendo: «Tu, porco, ti occupi sempre di stupidaggini!».

Ivan scattò in piedi dal suo posto e si scapicollò a toglierli il mantello.

Entrato in camera sua, il maggiore, stanco e triste, si buttò in poltrona e, alla fine, dopo alcuni sospiri, disse:

«Dio mio! Dio mio! Perché una tale disgrazia? Fossi senza un braccio o senza una gamba – sarebbe sempre meglio; fossi senza orecchie – sarebbe brutto, eppure sempre più tollerabile; ma un uomo senza naso – sa il diavolo cos'è: uccello non è, cittadino non è; non fai che prenderlo e scaraventarlo dalla finestra! E magari me l'avessero troncato in guerra o in duello, io stesso ne fossi la causa; ma invece è sparito senza un perché né un per come, è sparito invano, così per niente!.. Ma no, non può essere», aggiunse, dopo aver riflettuto un po'. «Non è verosimile che un naso sparisca; non è assolutamente verosimile. Devo averlo sognato, o semplicemente sono allucinazioni; forse per un qualche sbaglio ho bevuto, al posto di acqua, la vodka con la quale mi pulisco il mento dopo la rasatura. Quel cretino di Ivan non l'ha messa via e io, probabilmente, mi ci sono ubriacato».

Per accertarsi realmente di non essere ubriaco, il maggiore si diede un pizzico talmente forte che lanciò un grido. Quel dolore lo convinse definitivamente che agiva e viveva nella piena realtà. Piano piano si avvicinò allo specchio e dapprima chiuse gli occhi con il pensiero che magari il naso si sarebbe fatto vedere al suo posto; ma fece all'istante un salto indietro dicendo:

«Che aspetto da caricatura!».

Era davvero incomprensibile. Se fosse sparito un bottone, un cucchiaino d'argento, un orologio o qualcos'altro del genere; ma sparire un naso e a chi poi sparire? e inoltre nel suo stesso appartamento!... Il maggiore Kovalëv, considerando tutte le circostanze, suppose, forse più vicino di tutto alla verità, che la colpa di questo non doveva essere nessun altro se non l'ufficialessa di Stato Podtočina, la quale sperava che egli sposasse la figlia. Anche a lui piaceva correrle dietro, ma evitava una soluzione definitiva. Quando poi l'ufficialessa di Stato gli aveva dichiarato francamente che voleva dargliela in moglie, egli, pian piano, aveva fatto retromarcia con i suoi complimenti, dicendo che era ancora giovane, che doveva prestare servizio per altri cinque annetti per aver giusto quarantadue anni. E perciò l'ufficialessa di Stato, probabilmente per vendetta, si era decisa a rovinarlo e aveva assoldato per questo scopo qualche fattucchiera, perché in nessun modo si poteva pensare che il naso fosse stato tagliato: nessuno era entrato in camera sua; il barbiere Ivan Jakovlevič, poi, lo aveva rasato già mercoledì, e per tutto il mercoledì e anche tutto il giovedì il suo naso era stato intero – questo se lo ricordava e lo sapeva molto bene; inoltre avrebbe sentito dolore e, senza dubbio, la ferita non si sarebbe potuta cicatrizzare così presto ed essere liscia come una frittella. Faceva dei piani nella sua testa: citare in giudizio l'ufficialessa di Stato con un ordine formale o comparire da lei di persona e smascherarla. Le sue riflessioni furono interrotte da una luce che brillava attraverso tutte le fessure delle porte, rendendo noto che la candela dell'anticamera era già stata accesa da Ivan. Presto comparve lo stesso Ivan, portandola davanti a sé e illuminando vivamente tutta la camera. Il primo moto di Kovalëv fu di afferrare il fazzoletto e coprirsi quel punto in cui il giorno prima c'era ancora il naso, affinché in effetti quello stupido non si distraesse vedendo nel padrone una tale stranezza.

Ivan non fece in tempo ad andarsene nel suo buco, che

in anticamera si sentì una voce sconosciuta che diceva:
«Vive qui l'assessore collegiale Kovalëv?».

«Entrate. Il maggiore Kovalëv è qui», disse Kovalëv, saltando in piedi in fretta e aprendo la porta.

Entrò un funzionario di polizia di bell'aspetto, con le basette non troppo chiare né troppo scure, con delle guance belle piene, quello stesso che, all'inizio del racconto, stava all'estremità del ponte Isakievskij.

«Siete voi che vi siete visto sparire il naso?»

«Esattamente.»

«Ora è stato trovato.»

«Che dite?», urlò il maggiore Kovalëv. La gioia gli tolse la parola. Egli guardava fisso il sorvegliante di quartiere che era in piedi davanti a lui, sulle cui labbra e guance piene scintillava vivamente la tremante luce della candela. «In che modo?»

«Per uno strano caso: l'hanno intercettato quasi in viaggio. Stava già su una diligenza e voleva andare a Riga. E il passaporto da tempo era compilato a nome di un impiegato. E lo strano è che io stesso all'inizio lo avevo preso per un signore. Ma per fortuna avevo con me gli occhiali, e allora mi sono accorto subito che era un naso. Perché io sono miope e, se mi state davanti, vedo solo che avete un viso, ma non noto né il naso, né la barba, né niente. Pure mia suocera, cioè la madre di mia moglie, non vede niente.»

Kovalëv era fuori di sé.

«Ma dov'è? Dove? Ci corro subito.»

«Non vi agitate. Io, sapendo che vi è necessario, l'ho portato con me. E lo strano è che il principale responsabile in questa faccenda è un truffatore di barbiere della via Voznesenskaja, che adesso è in guardina. Lo sospettavo da tempo di ubriachezza e di furto, e ancora due giorni fa ha sgraffignato in una bottega una lista di bottoni. Il vostro naso è assolutamente così come era.»

A queste parole, il sorvegliante di quartiere ficcò la mano nella tasca e ne tirò fuori il naso avvolto in un pezzetto di carta.

«Sì, è lui!», gridò Kovalëv. «Proprio lui. Prendetevi una tazzina di tè con me oggi.»

«Lo riterrei un grande piacere, ma non posso proprio: da qui devo passare in una casa di correzione... Il carovita è molto aumentato su tutti i generi alimentari... A casa mia vive anche mia suocera, cioè la madre di mia moglie, e ci sono i bambini; il maggiore, in particolare, dà grandi speranze: è un ragazzino molto intelligente, ma non ci sono assolutamente mezzi per educarlo.»

Kovalëv indovinò e, afferrato dal tavolo un assegnato rosso, lo cacciò nella mano del sorvegliante, che, dopo aver riverito servilmente, uscì dalla porta, e quasi nello stesso momento Kovalëv sentì la sua voce già in strada, dove egli persuadeva a suon di pugni sui denti uno stupido *mužik*, che percorreva col suo carro per l'appunto il boulevard.

L'assessore collegiale, dopo che il sorvegliante se ne fu andato, rimase alcuni minuti in uno stato d'animo indefinito, e solo dopo alcuni minuti riacquistò la facoltà di vedere e di sentire: in tale smarrimento l'aveva gettato l'inattesa gioia. Prese con delicatezza il naso ritrovato nelle due mani messe a pugno, e ancora una volta lo guardò con attenzione.

«Sì, è lui, è proprio lui!», diceva il maggiore Kovalëv. «Ecco anche il foruncolo che era spuntato ieri sul lato sinistro.» Mancò poco che il maggiore si mettesse a ridere per la gioia.

Ma al mondo non c'è nulla di duraturo, e perciò anche la gioia, nel minuto susseguente il primo, non è più così viva; al terzo minuto diventa ancora più debole e, alla fine, si confonde impercettibilmente con lo stato d'animo abituale, come un cerchio, nato dalla caduta di un sassolino nell'acqua, si confonde alla fine con la superficie liscia. Kovalëv cominciò a riflettere e comprese che la faccenda non era ancora finita: il naso era stato trovato, ma comunque bisognava riattaccarlo, rimetterlo al suo posto.

«E che succede se non si attaccasse?»

A questa domanda, fatta a se stesso, il maggiore impallidì.

Con un sentimento di indicibile terrore si gettò verso il tavolo, si avvicinò lo specchio per non attaccarsi magari il naso storto. Le mani gli tremavano. Con attenzione e circospezione lo poggiò nel posto di prima. Oh, orrore! Il naso non si appiccicava!... Lo avvicinò alla bocca, lo riscaldò un po' col fiato e di nuovo lo avvicinò al punto liscio che si trovava tra le due guance; ma il naso non si reggeva in nessun modo.

«Allora, insomma! mettiti a posto, idiota!», gli diceva. Ma il naso era come di legno e cadeva sul tavolo con un suono così strano come se fosse stato un tappo. Il viso del maggiore si torse convulsamente. «È mai possibile che non faccia più presa?», diceva in preda alla paura. Ma per quante volte lo appoggiasse al suo proprio posto, ogni sforzo rimaneva vano.

Egli chiamò Ivan e lo mandò a cercare il dottore che occupava, nello stesso palazzo, l'appartamento migliore al piano nobile. Questo dottore era un bel pezzo d'uomo, aveva delle stupende basette nere come la pece, una moglie fresca e sana, mangiava al mattino mele fresche e aveva la bocca di una pulizia non comune, poiché faceva ogni mattina gargarismi per quasi tre quarti d'ora e si spazzolava i denti con cinque spazzolini di diverso tipo. Il dottore arrivò subito. Dopo aver domandato quanto tempo prima fosse successo lo sfortunato caso, sollevò il viso del maggiore Kovalëv per il mento e gli diede un buffetto col pollice proprio nel punto in cui prima c'era il naso, cosicché il maggiore dovette buttare indietro la testa con una tale forza che sbatté la nuca alla parete. Il medico disse che non era nulla e, dopo avergli consigliato di staccarsi un po' dalla parete, gli ordinò di piegare la testa dapprima verso il lato destro e, tastando il punto in cui prima c'era il naso, disse: «Hm!» Poi gli ordinò di piegare la testa verso il lato sinistro e disse: «Hm!» – e in conclusione gli diede nuovamente un buffetto col pollice, cosicché il maggiore Kovalëv scrollò la testa come un cavallo al quale guardino i denti. Fatta questa prova, il medico scosse la testa e disse:

«No, non si può. È meglio che ormai restiate così, perché si potrebbe fare ancora peggio. Naturalmente si può attaccarlo; forse ve lo potrei attaccare anche subito; ma vi assicuro che per voi sarebbe peggio».

«Ma bene! come faccio a stare senza naso?», disse Kovalëv . «Ormai peggio di così non può essere. Lo sa solo il diavolo! Dove mi posso far vedere con un simile aspetto da caricatura? Io ho buone conoscenze; anche oggi devo andare a due serate in due diverse case. Conosco molta gente: la consigliera di Stato Čechtarëva, l'ufficialessa di stato maggiore Podtočina... sebbene dopo questa sua azione non avrò più niente a che fare con lei, se non attraverso la polizia. Fatemi la grazia», aggiunse Kovalëv con voce supplichevole, «non c'è un mezzo? attaccatelo in qualche modo; anche se non bene, purché si regga; posso anche sostenerlo un po' io con la mano nei momenti pericolosi. E del resto non ballo nemmeno, cosa che in qualche modo potrebbe nuocere per dei movimenti disattenti. Per tutto ciò che concerne la riconoscenza per la visita, state pur sicuro, per quanto lo consentono i miei mezzi...»

«Credete», disse il dottore con voce né forte né sommessa, ma straordinariamente affabile e magnetica, «io non curo mai per venalità. Questo è contro le mie regole e la mia arte. È vero, mi faccio pagare per le visite, ma unicamente per non offendere con un mio rifiuto. Certo, vi potrei attaccare il naso; ma vi assicuro sul mio onore, se non volete credere alla mia parola, che sarebbe molto peggio. Lasciate fare, piuttosto, all'azione della natura stessa. Lavatevi più spesso con acqua fredda, e vi assicuro che, pur non avendo il naso, sarete così in salute come se lo aveste. E vi consiglio di mettere il naso in un barattolo con lo spirito o, meglio ancora, di versarci due cucchiaini da tavola di vodka forte e di aceto riscaldato, – e allora potrete ricavarci una considerevole somma. Io stesso potrei prenderlo, se solo non ne chiedete troppo.»

«No, no! non lo venderò per nessuna cifra!», esclamò disperato il maggiore Kovalëv, «meglio che vada perduto!»

«Scusate!», disse il dottore congedandosi, «io volevo esservi utile... Che fare! Per lo meno avete visto la mia premura.»

Detto questo, il dottore uscì dalla stanza con il suo nobile portamento. Kovalëv non notò nemmeno il suo viso e nel suo profondo smarrimento vide solo i polsini della camicia, bianchi e puliti come la neve, che sporgevano dalle maniche del suo frac nero.

Il giorno seguente, prima di presentare querela, si decise a scrivere all'ufficialessa di stato maggiore per sapere se fosse d'accordo a restituirgli il dovuto senza dar battaglia. La lettera era di tale contenuto:

Egregia signora, Aleksandra[4] Grigor'evna!

Non riesco a capire il vostro strano modo di agire. Siate certa che, comportandovi in tal modo, non ci guadagnerete nulla e non mi obbligherete affatto a sposare vostra figlia. Credete pure che la faccenda a proposito del mio naso mi è totalmente nota, parimenti al fatto che voi ne siete la principale responsabile, e nessun altro. Il suo repentino distacco dal proprio posto, la fuga e il travestimento, ora sotto le spoglie di un funzionario, ora, infine, nel suo vero aspetto, altro non sono se non conseguenza delle stregonerie operate da voi o da coloro che si esercitano in simili nobili occupazioni con voi. Io, dal canto mio, ritengo mio dovere avvertirvi che, se il naso da me menzionato non tornerà entro oggi al suo posto, allora sarò costretto a ricorrere alla tutela ed alla protezione delle leggi.

Del resto, con totale stima nei vostri confronti, ho l'onore di essere

Vostro devoto servo
Platon Kovalëv

Egregio signore, Platon Kuz'mič!

La vostra lettera mi ha straordinariamente stupita. Io, ve lo confesso in tutta sincerità, non me la sarei mai aspettata, tanto più riguardo agli ingiusti rimproveri da parte vostra. Vi notifico che non ho mai ricevuto in casa mia il funzionario del quale fate menzione, né mascherato, né nel suo vero aspetto. Veniva da me, è vero, Filipp Ivanovič Potančikov. E sebbene egli, in effetti, abbia chiesto la mano di mia figlia, essendo pure di buona e sobria condotta e molto istruito, io non gli ho dato mai al-

[4] Svista di Gogol' che finora ha chiamato la signora non Aleksandra, ma Palageja Grigor'evna (*N.d.T.*).

cuna speranza. Voi menzionate anche un naso. Se con questo intendete che io avrei voluto lasciarvi con un palmo di naso, cioè darvi un formale rifiuto, mi stupisce il fatto che voi stesso ne parliate, mentre io, come vi è noto, ero di opinione totalmente contraria, e se ora chiederete in moglie mia figlia in modo legittimo, io sono pronta immediatamente ad accontentarvi, poiché ciò ha sempre costituito l'oggetto del mio più vivo desiderio, nella speranza di ciò resto sempre pronta ai vostri servizi

Aleksandra Podtočina

«No», diceva Kovalëv, dopo aver letto la lettera. «Ella non è sicuramente colpevole. Non può essere! La lettera è scritta come non può scriverla una persona colpevole di un delitto.» L'assessore collegiale se ne intendeva, perché era stato mandato più volte a fare inchieste ancora nella regione del Caucaso. «In quale modo, per quali fatalità è avvenuto ciò? Solo il diavolo ne viene a capo!», disse alla fine, lasciando cadere le braccia.

Intanto voci su quell'insolito avvenimento si erano sparse per tutta la capitale, e come accade, non senza singolari aggiunte. Allora l'opinione pubblica era per l'appunto predisposta allo straordinario: appena poco tempo prima, avevano destato l'interesse del pubblico gli effetti dell'azione del magnetismo. Inoltre la storia delle sedie che ballavano in via Konjušennaja era ancora fresca, e perciò non c'è di che stupirsi che presto si misero a dire che il naso dell'assessore collegiale Kovalëv alle tre in punto faceva due passi sul Nevskij prospekt. Ogni giorno vi affluiva una moltitudine di curiosi. Qualcuno disse che il naso sarebbe stato nel negozio di Junker: e presso Junker si formò una tale folla e ressa che dovette intervenire perfino la polizia. Uno speculatore di aspetto rispettabile, con le basette, che vendeva all'entrata del teatro pasticcini secchi di diverso genere, costruì appositamente dei bellissimi e robusti sgabelli di legno, sui quali invitava a sedere i curiosi per ottanta copeche da ogni visitatore. Un rispettabile colonnello uscì prima di casa appositamente per questo e con grande fatica si aprì un varco tra la folla; ma, con sua grande indignazione, vide nella vetrina del negozio invece del naso una comune maglia di lana e una litografia con raffigurata una ragazza che si metteva a posto una calza e un bellimbusto, con gilet a risvolti e barbetta, che la guardava da dietro un albero – quadretto che già da oltre dieci anni era appeso sempre allo stesso posto. Allontanatosi, egli disse con dispetto: «Com'è possibile turbare il popolo con queste voci stupide e inverosimili?». Poi si diffuse la voce che non sul Nevskij prospekt, ma nel giardino di Tauride faceva due passi il naso del maggiore Kovalëv, che sarebbe stato lì già da tempo; che, quando ancora ci viveva Chosrev-Mirza[5], si meravigliava molto di un così strano scherzo della natura. Alcuni studenti dell'Accademia chirurgica vi si diressero. Una nota e stimata signora chiese con una singolare lettera al custode del giardino di mostrare ai suoi figli quel raro fenomeno e, se possibile, con una spiegazione istruttiva ed edificante per la gioventù.

Di tutti questi avvenimenti furono straordinariamente contenti tutti gli uomini di mondo, inevitabili frequentatori dei ricevimenti, che amano far ridere le signore, il cui repertorio era in quel momento totalmente esaurito. Una piccola parte di persone rispettabili e benpensanti era straordinariamente scontenta. Un tale diceva con sdegno che non capiva come nel corrente secolo illuminato potessero diffondersi ridicole invenzioni, e che si stupiva del fatto che il governo non prestasse attenzione alla cosa. Questo tale, come si vede, apparteneva al numero di quelle persone che si augurerebbero di coinvolgere il governo in tutto, perfino nelle proprie liti quotidiane con la moglie. Dopodiché… ma qui di nuovo l'intero avvenimento si copre di nebbia ed è assolutamente ignoto cosa sia successo in seguito.

[5] Principe ottomano, a Pietroburgo come diplomatico (*N.d.T.*).

III.

Al mondo avvengono le sciocchezze più totali. Talvolta non c'è perfino nessuna verosimiglianza: all'improvviso quello stesso naso, che se ne era andato in giro in carrozza col grado di consigliere di Stato e aveva fatto tanto rumore in città, si venne a trovare come se niente fosse nuovamente al suo posto, cioè proprio in mezzo alle due guance del maggiore Kovalëv. Ciò avvenne già il 7 aprile. Svegliatosi e data casualmente un'occhiata allo specchio, cosa vide? il naso! Tastò con una mano – proprio il naso! «Ehe!» – disse Kovalëv e dalla gioia per poco non si mise a ballare per tutta la stanza, scalzo, un forsennato *trepak*[6], ma lo disturbò Ivan che entrava. Egli ordinò subito di dargli da lavarsi e, lavandosi, gettò ancora una volta un'occhiata allo specchio: il naso! Asciugandosi con l'asciugamano, egli di nuovo gettò un'occhiata allo specchio: il naso!

«Guarda un po', Ivan, mi sembra di avere sul naso come un foruncoletto», disse e intanto pensava: «Che guaio se Ivan dirà: ma no, signore, non solo non c'è un foruncolo, ma non c'è neanche il naso!».

Ma Ivan disse:

«Nossignore, nessun foruncolo: il naso è pulito!».

«Bene, il diavolo se lo porti!», disse tra sé il maggiore e schioccò le dita. In quel mentre si affacciò dalla porta il barbiere Ivan Jakovlevič, ma tanto timoroso come un gattino

[6] Danza popolare russa (*N.d.T.*).

che abbiano appena battuto per il furto del lardo.

«Dimmi come prima cosa: hai le mani pulite?», gli gridò ancora da lontano Kovalëv.

«Pulite.»

«Menti!»

«Lo giuro, pulite, signore.»

«Be', bada.»

Kovalëv si sedette. Ivan Jakovlevič lo avvolse con un asciugamano e in un attimo, con l'aiuto del pennello, trasformò tutta la barba e parte della guancia in una crema, come quella che si serve il giorno dell'onomastico dei mercanti.

«Ma guarda un po'!», si disse Ivan Jakovlevič, gettando un'occhiata al naso, e poi piegò la testa dall'altro lato e lo guardò di profilo. «Eccolo! È proprio il suo, a pensarci bene», continuò e a lungo guardò il naso. Alla fine, con la delicatezza che ci si può immaginare, sollevò leggermente due dita per afferrarlo per la punta. Questo era il sistema di Ivan Jakovlevič.

«Ehi, ehi, ehi, stai attento!», si mise a gridare Kovalëv. A Ivan Jakovlevič caddero le braccia, trasecolò e si turbò come mai si era turbato. Alla fine iniziò con attenzione a solleticarlo col rasoio sotto il mento; e, sebbene trovasse molto scomodo e difficile radere senza un sostegno nella parte olfattiva del corpo, tuttavia, appoggiandosi in qualche modo con il suo ruvido pollice alla guancia e alla mascella inferiore, alla fine superò tutti gli ostacoli e finì di raderlo.

Quando tutto fu pronto, Kovalëv si affrettò subito a vestirsi, prese una carrozza e andò dritto alla pasticceria. Entrando, si mise a gridare ancora da lontano: «Ragazzo, una tazza di cioccolato!», e nello stesso momento si guardò allo specchio: il naso c'era! Allegramente, si voltò indietro e con aria ironica guardò, strizzando un po' gli occhi, due militari uno dei quali aveva un naso di certo non più grande di un bottone da gilet. Dopodiché si diresse alla cancelleria di quel dipartimento dove si era dato da fare per un posto di vice-governatore, e in caso di insuccesso, di esecutore.

Passando per l'anticamera, diede un'occhiata allo specchio: il naso c'era! Poi andò da un altro assessore collegiale, ovvero maggiore, un gran mattacchione, al quale spesso diceva in risposta alle sue diverse frecciatine: «Ehi, ti conosco ormai, sei una lingua biforcuta!». Per strada pensò: «Se anche il maggiore non crepa dalle risate, vedendomi, allora è un segno ormai sicuro che tutto quello che c'è sta al posto giusto». Ma l'assessore collegiale niente. «Bene, bene, il diavolo se lo porti!», pensò tra sé Kovalëv. Per strada incontrò l'ufficialessa di stato maggiore Podtočina insieme alla figlia, si salutarono e fu accolto da esclamazioni di gioia: dunque niente, in lui non c'era nessun difetto. Egli chiacchierò con loro molto a lungo e, tirata fuori apposta la tabacchiera, riempì davanti a loro assai a lungo il proprio naso in ambedue le narici, dicendosi: «Eccovi qua a quanto pare, donnette, razza di galline! e con la figlia, ad ogni modo, non mi sposo. Così semplicemente, *par amour*, prego!». E il maggiore Kovalëv da allora passeggiò come se niente fosse stato e sul Nevskij prospekt, e nei teatri, e ovunque. E anche il naso stava sul suo viso come se niente fosse stato, non dando nemmeno l'impressione di essersene mai allontanato. E dopo questo fatto, il maggiore Kovalëv fu sempre visto di buon umore, sorridente, all'inseguimento deciso di tutte le belle dame e anche, una volta, fermo davanti ad una bottega nel Gostinyj dvor[7] nell'atto di comprare un nastrino di un qualche ordine, non si sa per quali motivi, visto che non era cavaliere di nessun ordine.

Ecco quale storia avvenne nella nordica capitale del nostro vasto Stato! Solo ora, in considerazione di tutto, vediamo che in essa c'è molto di inverosimile. Per non parlare poi del fatto che è davvero strano il soprannaturale distacco del naso e la sua comparsa in diversi luoghi sotto le spoglie di consigliere di Stato - come aveva fatto Kovalëv a non comprendere che non si può mettere un annuncio sul giornale a proposito di un naso? Io qui non lo dico nel sen-

[7] Galleria con file di negozi (*N.d.T.*).

so che mi sarebbe sembrato caro pagare per un annuncio: è una sciocchezza, e io non sono certo nel numero delle persone attaccate al denaro. Ma è sconveniente, imbarazzante, non va bene! E ancora - come fece il naso a capitare nel pane appena sfornato, e come lo stesso Ivan Jakovlevič...? no, questo davvero non lo capisco, decisamente non lo capisco! Ma la cosa più strana, la cosa più incomprensibile di tutte è come degli autori possano prendere simili soggetti. Lo riconosco, questo poi è proprio inconcepibile, è assolutamente... no, no, proprio non lo capisco. In primo luogo, non c'è decisamente nessuna utilità per la patria; in secondo luogo... ma anche in secondo luogo non ci sono vantaggi. Semplicemente non so cosa questo...

E, tuttavia, con tutto ciò, sebbene, in definitiva, si possa ammettere una cosa, e l'altra, e una terza, forse anche... perché poi dove non avvengono cose inverosimili? - E, tuttavia, tutto considerato, in tutto ciò, davvero, c'è qualcosa. Si dica quel che si vuole, ma al mondo accadono simili avvenimenti - di rado, ma accadono.

Indice

Tascabili Economici Newton, sezione dei Paperbacks
Pubblicazione settimanale, 27 febbraio 1993
Direttore responsabile: G.A. Cibotto
Registrazione del Tribunale di Roma n. 16024 del 27 agosto 1975
Fotocomposizione: Sintesi Compos s.r.l., Roma
Stampato per conto della Newton Compton editori s.r.l., Roma
presso la Rotolito Lombarda S.p.A., Pioltello (MI)
Distribuzione nazionale per le edicole: A. Pieroni s.r.l.
Viale Vittorio Veneto 28 - 20124 Milano - telefono 02-29000221
telex 332379 PIERON I - telefax 02-6597865
Consulenza diffusionale: Eagle Press s.r.l., Roma

Tascabili Economici Newton
centopaginemillelire

1. **Sigmund Freud,** *Il sogno e la sua interpretazione*
2. **William Shakespeare,** *Amleto*
3. **Franz Kafka,** *La metamorfosi* e *Nella colonia penale*
4. **Hermann Hesse,** *Vagabondaggio*
5. **Gibran Kahlil Gibran,** *La Voce del Maestro*
6. **Robert Louis Stevenson,** *Il Dr. Jekyll e Mr. Hyde*
7. **Sigmund Freud,** *Psicoanalisi, cinque conferenze (1910)*
8. **William Shakespeare,** *Otello*
9. **Italo Svevo,** *Corto viaggio sentimentale*
10. **Hermann Hesse,** *Amicizia*
11. **Mallanaga Vatsyayana,** *Kamasutra*
12. **Thomas Mann,** *La morte a Venezia*
13. **Charles Darwin,** *L'origine delle specie. Abbozzo del 1842*
14. **Friedrich W. Nietzsche,** *L'Anticristo*
15. **Federico García Lorca,** *Sonetti dell'amore oscuro*
16. **Hermann Hesse,** *Pellegrinaggio d'autunno*
17. **Marziale,** *I cento epigrammi proibiti*
18. **Edgar Allan Poe,** *Racconti del terrore*
19. **Pietro Aretino,** *Sonetti lussuriosi* e *Dubbi amorosi*
20. **William Shakespeare,** *Romeo e Giulietta*
21. **Oscar Wilde,** *Aforismi*
22. **Michail Bulgakov,** *Cuore di cane*
23. **Buddha,** *I quattro pilastri della saggezza*
24. **Edgar Allan Poe,** *Racconti del mistero*
25. **Sigmund Freud,** *Tre saggi sulla sessualità*
26. **Henrik Ibsen,** *Casa di bambola*
27. **Giovanni Paolo II,** *Pensieri di pace e di speranza*
28. **Hermann Hesse,** *Knulp*
29. AA.VV., *Canti degli Indiani d'America*
30. **Edgar Allan Poe,** *Racconti d'incubo*
31. **Albert Einstein,** *Teoria dei quanti di luce*
32. **Luigi Pirandello,** *Sei personaggi in cerca d'autore*
33. **Lucio Anneo Seneca,** *La felicità*

34. **Hermann Hesse,** *Bella è la gioventù*
35. **Charles Baudelaire,** *Il poema dell'hashish*
36. **Horace Walpole,** *Il castello di Otranto*
37. *La regola sanitaria salernitana*
38. **Raymond Radiguet,** *Il diavolo in corpo*
39. **Lucio Anneo Seneca,** *L'ozio* e *La serenità*
40. **Hermann Hesse,** *Francesco d'Assisi*
41. **Ben Jonson,** *Il Dottor Sottile*
42. **John William Polidori,** *Il vampiro*
43. **Victor Hugo,** *L'ultimo giorno di un condannato a morte*
44. **Nikolaj V. Gogol',** *Il cappotto* e *Il naso*
45. **Edmond Rostand,** *Cirano di Bergerac*
46. **Hermann Hesse,** *Klein e Wagner*
47. **Kahlil Gibran,** *Massime spirituali*
48. **Charles Baudelaire,** *Un mangiatore d'oppio*